稲盛和夫

生き方

人間として一番大切なこと

サンマーク出版

生き方　目次

プロローグ

第❶章 思いを実現させる

第2章 原理原則から考える

第5章 宇宙の流れと調和する

装幀・造本　菊地信義
編集協力　逍遙舎

プロローグ

混迷の時代だからこそ「生き方」を問い直す

私たちはいま、混迷を極め、先行きの見えない「不安の時代」を生きています。豊かなはずなのに心は満たされず、衣食足りているはずなのに礼節に乏しく、自由なはずなのにどこか閉塞感《へいそく》がある。やる気さえあれば、どんなものでも手に入り何でもできるのに、無気力で悲観的になり、なかには犯罪や不祥事に手を染めてしまう人もいます。

そのような閉塞的な状況が社会を覆いつくしているのはなぜなのでしょうか。それは、多くの人が生きる意味や価値を見いだせず、人生の指針を見失ってしまっているからではないでしょうか。今日の社会の混乱が、そうした人生観の欠如に起因するように思えるのは、私だけではないと思います。

そういう時代にもっとも必要なのは、「人間は何のために生きるのか」という根本的な問いではないかと思います。まず、そのことに真正面から向かい合い、生きる指針としての「哲学」を確立することが必要なのです。哲学とは、理念あるいは思想などといいかえてもよいでしょう。

それは砂漠に水をまくようなむなしい行為であり、早瀬に杭《くい》を打つのに似たむずかしい行為なのかもしれません。しかし、懸命に汗をかくことをどこかさげすむような風潮のある時代だからこそ、単純でまっすぐな問いかけが重い意味をもつのだと私は信じています。そのような根幹から生き方を考えていく試みがなされないかぎり、いよいよ混迷は深まり、未来はますます混沌《こんとん》として、社会には混乱が広がっていく――そうした切実な危機感と焦燥感にとらわれているのも、やはり私だけではないはずです。

私は本書の中で、人間の「生き方」というものを真正面からとらえ、根幹から見据えて、思うところを忌憚《きたん》なく説いてみたいと思っています。生きる意味と人生のあり方を根本から問い直してみたい。そうしてそれを時代の急流に打ち込む、ささやかな一本の杭としたいと考えています。

読者の方々が、生きる喜びを見いだし、幸福に満ちた充実した人生を送るための何らかのヒントを本書から得ていただければ、この上ない喜びです。

魂を磨いていくことが、この世を生きる意味

私たち人間が生きている意味、人生の目的はどこにあるのでしょうか。もっとも根源的

ともいえるその問いかけに、私はやはり真正面から、それは心を高めること、魂を磨くことにあると答えたいのです。

生きている間は欲に迷い、惑うのが、人間という生き物の性《さが》です。ほうっておけば、私たちは際限なく財産や地位や名誉を欲しがり、快楽におぼれかねない存在です。

なるほど、生きているかぎり衣食が足りていなくてはなりませんし、不自由なく暮らしていけるだけのお金も必要です。立身出世を望むことも生きるエネルギーとなるから、いちがいに否定すべきものでもないでしょう。

しかし、そういうものは現世限りで、いくらたくさんため込んでも、どれ一つとしてあの世へ持ち越すことはできません。この世のことはこの世限りでいったん清算しなくてはならない。

そのなかでたった一つ滅びないものがあるとすれば、それは、「魂」というものではないでしょうか。死を迎えるときには、現世でつくり上げた地位も名誉も財産もすべて脱ぎ捨て、魂だけ携えて新しい旅立ちをしなくてはならないのです。

ですから、「この世へ何をしにきたのか」と問われたら、私は迷いもてらいもなく、生まれたときより少しでもましな人間になる、すなわちわずかなりとも美しく崇高な魂をもって死んでいくためだと答えます。

俗世間に生き、さまざまな苦楽を味わい、幸不幸の波に洗われながらも、やがて息絶えるその日まで、倦《う》まず弛《たゆ》まず一生懸命生きていく。そのプロセスそのものを磨き砂として、おのれの人間性を高め、精神を修養し、この世にやってきたときよりも高い次元の魂をもってこの世を去っていく。私はこのことより他に、人間が生きる目的はないと思うのです。

昨日よりましな今日であろう、今日よりよき明日であろうと、日々誠実に努める。その弛まぬ作業、地道な営為、つつましき求道に、私たちが生きる目的や価値がたしかに存在しているのではないでしょうか。

生きていくことは苦しいことのほうが多いものです。ときに、なぜ自分だけがこんな苦労をするのかと神や仏を恨みたくなることもあるでしょう。しかしそのような苦しき世だからこそ、その苦は魂を磨くための試練だと考える必要があるのです。労苦とは、おのれの人間性を鍛えるための絶好のチャンスなのです。

試練を「機会」としてとらえることができる人――そういう人こそ、限られた人生をほんとうに自分のものとして生きていけるのです。

現世とは心を高めるために与えられた期間であり、魂を磨くための修養の場である。人間の生きる意味や人生の価値は心を高め、魂を錬磨することにある。まずは、そういうことがいえるのではないでしょうか。

単純な原理原則が揺るぎない指針となる

魂というものは、「生き方」次第で磨かれもすれば曇りもするものです。この人生をどう生きていくかによって、私たちの心は気高くもなれば卑しくもなるのです。

世間には高い能力をもちながら、心が伴わないために道を誤る人が少なくありません。私が身を置く経営の世界にあっても、自分さえ儲《もう》かればいいという自己中心の考えから、不祥事を起こす人がいます。

いずれも経営の才に富んだ人たちの行為で、なぜと首をひねりたくもなりますが、古来「才子、才に倒れる」といわれるとおり、才覚にあふれた人はついそれを過信して、あらぬ方向へと進みがちなものです。そういう人は、たとえその才を活《い》かし一度は成功しても、才覚だけに頼ることで失敗への道を歩むことになります。

才覚が人並みはずれたものであればあるほど、それを正しい方向に導く羅針盤が必要となります。その指針となるものが、理念や思想であり、また哲学なのです。

そういった哲学が不足し、人格が未熟であれば、いくら才に恵まれていても「才あって徳なし」、せっかくの高い能力を正しい方向に活かしていくことができず、道を誤ってしまいます。これは企業リーダーに限ったことでなく、私たちの人生にも共通していえることです。

この人格というものは「性格＋哲学」という式で表せると、私は考えています。人間が生まれながらにもっている性格と、その後の人生を歩む過程で学び身につけていく哲学の両方から、人格というものは成り立っている。つまり、性格という先天性のものに哲学という後天性のものをつけ加えていくことにより、私たちの人格――心魂の品格――は陶冶《とうや》されていくわけです。

したがって、どのような哲学に基づいて人生を歩んでいくかによって、その人の人格が決まってくる。哲学という根っこをしっかりと張らなければ、人格という木の幹を太く、まっすぐに成長させることはできないのです。

では、どのような哲学が必要なのかといえば、それは「人間として正しいかどうか」ということ。親から子へと語り継がれてきたようなシンプルでプリミティブな教え、人類が古来培ってきた倫理、道徳ということになるでしょう。

京セラは、私が二十七歳のときに周囲の方々につくっていただいた会社ですが、私は経営の素人で、その知識も経験もないため、どうすれば経営というものがうまくいくのか、皆目見当がつきませんでした。困り果てた私は、とにかく人間として正しいことを正しいままに貫いていこうと心に決めました。

すなわち、嘘《うそ》をついてはいけない、人に迷惑をかけてはいけない、正直であれ、欲張ってはならない、自分のことばかりを考えてはならないなど、だれもが子どものころ、親や先生から教わった――そして大人になるにつれて忘れてしまう――単純な規範を、そのまま経営の指針に据え、守るべき判断基準としたのです。

経営について無知だったということもありますが、一般に広く浸透しているモラルや道徳に反することをして、うまくいくことなど一つもあるはずがないという、これまた単純な確信があったからです。

それは、とてもシンプルな基準でしたが、それゆえ筋の通った原理であり、それに沿って経営をしていくことで迷いなく正しい道を歩むことができ、事業を成功へと導くことができたのです。

私の成功に理由を求めるとすれば、たったそれだけのことなのかもしれません。つまり私には才能は不足していたかもしれないが、人間として正しいことを追求するという、単純な、しかし力強い指針があったということです。

人間として間違っていないか、根本の倫理や道徳に反していないか――私はこのことを生きるうえでもっとも大切なことだと肝に銘じ、人生を通じて必死に守ろうと努めてきたのです。

いまの日本で、人間のあり方を示す倫理や道徳などというと、いかにも時代遅れのさびついた考えだという印象を抱く人が多いかもしれません。戦後の日本は、戦前に道徳が思想教育として誤って使われたという反省と反動から、これらをほぼタブー視してきました。でも本来それは、人類が育《はぐく》んだ知恵の結晶であり、日常を律するたしかな基軸なのです。

近代の日本人は、かつて生活の中から編み出された数々の叡智《えいち》を古くさいという理由で排除し、便利さを追うあまり、なくてはならぬ多くのものを失ってきましたが、倫理や道徳といったことも、その一つなのでしょう。

しかしいまこそ、人間としての根本の原理原則に立ち返り、それに沿って日々をたしかに生きることが求められているのではないでしょうか。そうした大切な知恵を取り戻すときがきているように思います。

人生の真理は懸命に働くことで体得できる

それでは、人格を練り、魂を磨くには具体的にどうすればいいのでしょうか。山にこもったり、滝に打たれたりなどの何か特別な修行が必要なのでしょうか。そんなことはありません。むしろ、この俗なる世界で日々懸命に働くことが何よりも大事なのです。

後の章で詳しく解説しますが、お釈迦《しゃか》さまは、悟りの境地に達する修行法の一つとして、「精進《しょうじん》」することの大切さを説いています。精進とは、一生懸命働くこと、目前の仕事に脇目《わきめ》もふらず打ち込むことです。私は、それが私たちの心を高め、人格を錬磨するためにもっとも大事で、一番有効な方法であると考えています。

一般によく見受けられる考え方は、労働とは生活するための糧《かて》、報酬を得るための手段であり、なるべく労働時間は短く給料は多くをもらい、あとは自分の趣味や余暇に生きる。それが豊かな人生だというものです。そのような人生観をもっている人のなかには、労働をあたかも必要悪のように訴える人もいます。

しかし働くということは人間にとって、もっと深遠かつ崇高で、大きな価値と意味をもった行為です。労働には、欲望に打ち勝ち、心を磨き、人間性をつくっていくという効果がある。単に生きる糧を得るという目的だけではなく、そのような副次的な機能があるのです。

ですから、日々の仕事を精魂込めて一生懸命に行っていくことがもっとも大切で、それこそが、魂を磨き、心を高めるための尊い「修行」となるのです。

たとえば、二宮尊徳は生まれも育ちも貧しく、学問もない一介の農民でありながら、鋤《すき》一本、鍬《くわ》一本を手に、朝は暗いうちから夜は天に星をいただくまで田畑に出て、ひたすら誠実、懸命に農作業に努め、働きつづけました。そして、ただそれだけのことによって、疲弊した農村を、次々と豊かな村に変えていくという偉業を成し遂げました。

その業績によってやがて徳川幕府に登用され、並み居る諸侯に交じって殿中へ招かれるまでになりますが、そのときの立ち居振る舞いは一片の作法も習ったわけではないにもかかわらず、真の貴人のごとく威厳に満ちて、神色さえ漂っていたといいます。

つまり汗にまみれ、泥にまみれて働きつづけた「田畑での精進」が、自身も意識しないうちに、おのずと彼の内面を深く耕し、人格を陶冶し、心を研磨して、魂を高い次元へと練り上げていったのです。

このように、一つのことに打ち込んできた人、一生懸命に働きつづけてきた人というのは、その日々の精進を通じて、おのずと魂が磨かれていき、厚みある人格を形成していくものです。

働くという営みの尊さは、そこにあります。心を磨くというと宗教的な修行などを連想するかもしれませんが、仕事を心から好きになり、一生懸命精魂込めて働く、それだけでいいのです。

ラテン語に、「仕事の完成よりも、仕事をする人の完成」という言葉があるそうですが、その人格の完成もまた仕事を通じてなされるものです。いわば、哲学は懸命の汗から生じ、心は日々の労働の中で錬磨されるのです。

自分がなすべき仕事に没頭し、工夫をこらし、努力を重ねていく。それは与えられた今日という一日、いまという一瞬を大切に生きることにつながります。

一日一日を「ど真剣」に生きなくてはならない、と私はよく社員にもいっていますが、一度きりの人生をムダにすることなく、「ど」がつくほど真摯《しんし》に、真剣に生き抜いていく――そのような愚直なまでの生き様を継続することは、平凡な人間をもやがては非凡な人物へと変貌《へんぼう》させるのです。

世の「名人」と呼ばれる、それぞれの分野の頂点を極めた達人たちも、おそらくそのような道程をたどったにちがいありません。労働とは、経済的価値を生み出すのみならず、まさに人間としての価値をも高めてくれるものであるといってもいいでしょう。

したがって何も俗世を離れなくても、仕事の現場が一番の精神修養の場であり、働くこと自体がすなわち修行なのです。日々の仕事にしっかりと励むことによって、高邁《こうまい》な人格とともに、すばらしい人生を手に入れることができるということを、ぜひ心にとめていただきたいと思います。

「考え方」を変えれば人生は一八〇度変わる

人生をよりよく生き、幸福という果実を得るには、どうすればよいか。そのことを私は一つの方程式で表現しています。それは、次のようなものです。

人生・仕事の結果＝考え方×熱意×能力

つまり、人生や仕事の成果は、これら三つの要素の〝掛け算〟によって得られるものであり、けっして〝足し算〟ではないのです。

まず、能力とは才能や知能といいかえてもよいのですが、多分に先天的な資質を意味します。健康、運動神経などもこれにあたるでしょう。また熱意とは、事をなそうとする情熱や努力する心のことで、これは自分の意思でコントロールできる後天的な要素。どちらも〇点から一〇〇点まで点数がつけられます。

掛け算ですから、能力があっても熱意に乏しければ、いい結果は出ません。逆に能力がなくても、そのことを自覚して、人生や仕事に燃えるような情熱であたれば、先天的な能力に恵まれた人よりはるかにいい結果を得られます。

そして最初の「考え方」。三つの要素のなかではもっとも大事なもので、この考え方次第で人生は決まってしまうといっても過言ではありません。考え方という言葉は漠然としていますが、いわば心のあり方や生きる姿勢、これまで記してきた哲学、理念や思想なども含みます。

この考え方が大事なのは、これにはマイナスポイントがあるからです。〇点までだけではなく、その下のマイナス点もある。つまり、プラス一〇〇点からマイナス一〇〇点までと点数の幅が広いのです。

したがってさっきもいったように、能力と熱意に恵まれながらも考え方の方向が間違っていると、それだけでネガティブな成果を招いてしまう。考え方がマイナスなら掛け算をすればマイナスにしかならないからです。

わが身の恥をさらすようですが、就職難の時代に大学を出た私は、縁故がないために、いくら入社試験を受けても不合格続きで、いっこうに就職が決まらない。それならいっそ、「インテリやくざ」にでもなってやろうか、弱い者がわりを食う不合理な世の中なら、義理人情に厚い極道の世界に生きるほうがずっとましかもしれない――すねた心で、なかば本気でそんなふうに考えたこともありました。

そのとき、ほんとうにその道を選んでいたら、そこそこ出世をして、小さな組の親分くらいにはなっていたかもしれません。しかし、そんな世界でいくら力をつけても、根本となる考え方がネガティブでゆがんでいるのですから、けっして幸せにもなれなかったでしょうし、恵まれた人生を歩むことはできなかったでしょう。

では、「プラス方向」の考え方とは、どんなものでしょう。むずかしく考える必要はありません。それは常識的に判断されうる「よい心」のことだと思っていただければよいでしょう。

つねに前向きで建設的であること。感謝の心をもち、みんなといっしょに歩もうという協調性を有していること。明るく肯定的であること。善意に満ち、思いやりがあり、やさしい心をもっていること。努力を惜しまないこと。足るを知り、利己的でなく、強欲ではないことなどです。

いずれも言葉にしてみればありきたりで、小学校の教室に掲げられている標語のような倫理観や道徳律ですが、それだけにこれらのことをけっして軽視せず、頭で理解するだけでなく、体の奥までしみ込ませ、血肉化しなくてはいけないと思うのです。

心に描いたものが実現するという宇宙の法則

このようによい心がけを忘れず、もてる能力を発揮し、つねに情熱を傾けていく。それが人生に大きな果実をもたらす秘訣《ひけつ》であり、人生を成功に導く王道なのです。なぜなら、それは宇宙の法則に沿った生き方であるからです。

仏教には、「思念が業《ごう》をつくる」という教えがあります。業とはカルマともいい、現象を生み出す原因となるものです。つまり思ったことが原因となり、その結果が現実となって表れてくる。だから考える内容が大切で、その想念に悪いものを混ぜてはいけない、と説いているのです。積極思考を説いた哲学者である中村天風さんも、同様の理由から「けっして悪い想念を描いてはいけない」といっています。

人生は心に描いたとおりになる、強く思ったことが現象となって現れてくる――まずはこの「宇宙の法則」をしっかりと心に刻みつけてほしいのです。人によっては、このような話をオカルトの類《たぐ》いと断じて受け入れないかもしれません。しかし、これは私がこれまでの人生で数々の体験から確信するに至った絶対法則なのです。

すなわち、よい思いを描く人にはよい人生が開けてくる。悪い思いをもっていれば人生はうまくいかなくなる。そのような法則がこの宇宙には働いているのです。思ったことがすぐに結果に出るわけではないので、わかりづらいかもしれませんが、二十年や三十年といった長いスパンで見ていくと、たいていの人の人生は、その人自身が思い描いたとおりになっているものです。

ですから、まずは純粋できれいな心をもつことが、人間としての生き方を考えるうえで大前提となります。なぜなら、よい心――とくに「世のため、人のため」という思い――は、宇宙が本来もっている「意志」であると考えられるからです。

宇宙には、すべてをよくしていこう、進化発展させていこうという力の流れが存在しています。それは、宇宙の意志といってもよいものです。この宇宙の意志が生み出す流れにうまく乗れれば、人生に成功と繁栄をもたらすことができる。この流れからはずれてしまうと没落と衰退が待っているのです。

ですから、すべてに対して「よかれかし」という利他の心、愛の心をもち、努力を重ねていけば、宇宙の流れに乗って、すばらしい人生を送ることができる。それに対して、人を恨んだり憎んだり、自分だけが得をしようといった私利私欲の心をもつと、人生はどんどん悪くなっていくのです。

宇宙を貫く意志は愛と誠と調和に満ちており、すべてのものに平等に働き、宇宙全体をよい方向に導き、成長発展させようとしている。このことは、宇宙物理学でいう「ビッグバン・セオリー」から考えても十分納得、説明できるものです。

第5章で詳しく述べますので、ここではごく簡単な説明にとどめますが、宇宙には最初ひと握りの素粒子しか存在していませんでした。その素粒子がビッグバンと呼ばれる大爆発によって結合して、原子核を構成する陽子、中性子、中間子をつくり上げ、電子と結びつき、最初の原子である水素原子を生み出した。

さらにさまざまな原子、そして分子が育まれ、やがて高分子ができ上がり、人類のような高等生物までが生み出された。そういう宇宙の進化のありようを知れば知るほど、すべてを成長させ、進化させていこうという何か「偉大なもの」の意志が介在しているとしか思えません。

私は長くモノづくりにかかわってきて、そのような「偉大なもの」の存在を実感することが少なくありませんでした。その大きな叡智にふれ、それに導かれるようにして、さまざまな新製品の開発に成功し、人生を歩んできたといっても過言ではないのです。

京セラが手がけるセラミックスはファインセラミックスと呼ばれ、コンピュータや携帯電話などさまざまなハイテク商品に汎用《はんよう》される高度な素材です。このファインセラミックスに関する技術は京セラが世界にさきがけて開発を進め、次々に新しい地平を開いてきたと自負していますが、もともと私はセラミックスの門外漢でした。学生時代は石油化学などの有機化学を専攻していたのですが、就職が思うようにいかず、不本意ながら、京都にあった無機化学の碍子《がいし》製造会社に入ったのです。

ですから、セラミックスに関する基礎的な知識や技術などなかったうえ、その会社も赤字を続けており、粗末な研究設備や装置しかありませんでした。そのため、とにかく毎日現場へ出て、工夫を重ねつつ研究や実験に打ち込むより他に道がなかったのです。

ところが、そんな状況の中、私はわずかな期間で、新しい材料をつくることに成功してしまったのです。

それは、アメリカのGE（ゼネラル・エレクトリック）の研究所が、その一年ほど前に世界で初めて合成に成功したという新素材で、しかも、私が合成に成功したものはまったく同じ組成でありながら、その合成方法はGEと全然異なるものでした。つまり私の方法論は世界に類のないまったくオリジナルなものだったのです。

精密な設備を使って理論的な実験を重ねたわけではありません。京都のちっぽけな碍子メーカーの、名もない一研究員が、徒手空拳《くうけん》のまま行ったことが、世界のGEに匹敵する成果を上げた――まぐれ当たりとしかいいようのない幸運なりゆきでしたが、しかし不思議なことに、そうした幸運はその後もずっと続き、その会社を退社して京セラを設立してからも、私と私の会社をどんどん成長させていったのです。

人類に叡智をもたらしつづける「知恵の蔵」がある

その理由を私はこう考えています。それは偶然でもなければ、私の才能がもたらした結果でもない。この世界の、この宇宙のどこかに「知恵の蔵（真理の蔵）」ともいうべき場所があって、私たちは自分たちも気がつかないうちに、その蔵に蓄えられた「知」を、新しい発想やひらめき、あるいは創造力としてそのつど引き出したり、汲《く》み上げたりしているのではないか。

それはいわば「叡智の井戸」だが、その所有者は人間自身ではない。たとえば神や宇宙が蔵している普遍の真理のようなもので、その知を授けられることで人類のもてる技術は進歩し、文明を発達させることができた。そして私もまた何の加減か、必死になって研究に打ち込んでいるときに、その叡智の一端にふれることで、創造性を発揮して成功の果実を得ることができたのではないか――。

後の章で述べるように、私は「京都賞」というものを創設し、人類に新たな地平を開いたさまざまな分野の研究者を顕彰していますが、そのような研究者と接していると、彼らが一様に創造的なひらめき（インスピレーション）を、あたかも神の啓示のごとく受けた瞬間があることに驚くのです。

その創造の瞬間は、人知れず努力を重ねた研究生活のさなか、ふとした休息の瞬間であったり、ときには就寝時の夢の中であったりします。エジソンが電気通信の分野でさまざまな画期的な発明を成し遂げたのも、すさまじいまでの研鑽《けんさん》の結果、そのように「知恵の蔵」からインスピレーションを授けられたということではないでしょうか。

私は、偉大な先人たちの功績を顧みるとき、人類はそのようにして、「知恵の蔵」からもたらされた知や技能を創造力のみなもととして、モノづくりを進歩させ、文明を発展させてきたのだという確信を強くするのです。

では、その蔵の戸を開いて知恵を得るにはどうしたらよいのか。それには、やはり燃えるような情熱を傾け、真摯に努力を重ねていくことしかないのではないか。つまり何かを得ようと、よい思いを抱き一生懸命がんばっている人に、神は行く先を照らすたいまつを与えるように、「知恵の蔵」から一筋の光明を授けてくれるのではないでしょうか。

そう考えないと、知識も技術も、経験も設備も乏しかった私に、なぜ世界にさきがけた発明ができたのか、明確に説明することはできない。当時の私は、寝ても覚めても研究に没頭し、それこそ「狂」がつくほどのすさまじい勢いで働きました。何としても成功させたいと強い願望を抱き、必死の思いでひたむきに仕事に取り組んでいたのです。

その報酬として、「知恵の蔵」に蓄積されている叡智の一部が与えられたのではないかと思うのです。

自己を厳しく律しつづける「王道」の生き方をせよ

「知恵の蔵」とは私の造語ですが、宇宙の摂理、あるいは創造主の叡智などといいかえてもいいかもしれません。いずれにせよ、その大いなる知は、人類を絶えず成長発展の方向へ誘導してくれているのです。

しかし、近年私は、人間は進むべき方向を見失っているのではないか、あるいは「知恵の蔵」から与えられた知恵の使い方を誤り、間違った方向に歩みはじめているのではないかと危惧《きぐ》しています。その元凶はやはり、生きていくうえでの「哲学」を見失ってしまったことにあるのだと思います。

つまり人類は科学技術に立脚した高度な文明を築いて、豊かな生活を享受することに成功しました。しかしその結果、人間の精神や心の大切さを忘れてきてしまった。そのために、たとえば地球環境の破壊という、新たな問題を生み出してしまっているのです。

私はいま、科学技術の進歩によって、人類は「神業」を手に入れ、自由に使いはじめたものと理解しています。それまでは神のみが使うことを許されていた高度な技術、知恵を、人類はあたかも自分の所有物のように思い、それを自由放縦《ほうしょう》に駆使しはじめた。その悪因が悪果となって現れたのが環境破壊ではないでしょうか。

たとえばフロンガスによるオゾン層の破壊、農薬や肥料による土壌や河川の汚染、二酸化炭素の増加による温暖化、さらにはダイオキシンなどの環境ホルモンによる生体への影響などにより、私たちの生存の場である地球環境、ひいては私たち人類の生存それ自体が脅威にさらされています。

それは、本来生きとし生けるものを幸せに導くための「知」を、誤った方向に使ってしまったからです。人間は自らを進歩させてきた武器によって、いま自分たちを傷つけ、滅ぼそうとしているのです。

前述の「人生の方程式」で示したように、いくら技術や知恵（能力）が高くても、また熱意をもっていたとしても、考え方――哲学、理念、思想――を高める努力を忘れているならば、この地球に多大な災厄をもたらす結果となるのです。

ですから、人間として正しい生き方、あるべき姿を追求することは、もはや私たちの個人的な問題ではありません。人類を正しい方向に導き、地球を破滅への道から救い出すためにも、一人ひとりが自分の「生き方」をいま一度見直してみる必要があるのです。

それには、人一倍厳しい生き方をおのれに課し、絶えず自分を律することが不可欠です。一生懸命、誠実、まじめ、正直……そうしたシンプルで平易な道徳律や倫理観をしっかりと守ること、それを自分の哲学や生き方の根っこに据えて不動のものにすることです。

人間として正しい生き方を志し、ひたすら貫きつづける。それが、いま私たちにもっとも求められていることではないでしょうか。それこそが、私たち一人ひとりの人生を成功と栄光に導き、また人類に平和と幸福をもたらす王道なのです。本書は、そのような人生を生きるための手引書であると考えていただければよいと思います。

第1章 思いを実現させる

求めたものだけが手に入るという人生の法則

世の中のことは思うようにならない——私たちは人生で起こってくるさまざまな出来事に対して、ついそんなふうに見限ってしまうことがあります。けれどもそれは、「思うとおりにならないのが人生だ」と考えているから、そのとおりの結果を呼び寄せているだけのことで、その限りでは、思うようにならない人生も、実はその人が思ったとおりになっているといえます。

人生はその人の考えた所産であるというのは、多くの成功哲学の柱となっている考え方ですが、私もまた、自らの人生経験から、「心が呼ばないものが自分に近づいてくるはずがない」ということを、信念として強く抱いています。つまり実現の射程内に呼び寄せられるのは自分の心が求めたものだけであり、まず思わなければ、かなうはずのこともかなわない。

いいかえれば、その人の心の持ち方や求めるものが、そのままその人の人生を現実に形づくっていくのであり、したがって事をなそうと思ったら、まずこうありたい、こうあるべきだと思うこと。それもだれよりも強く、身が焦げるほどの熱意をもって、そうありたいと願望することが何より大切になってきます。

そのことを私が肌で知ったのは、もう四十年以上も前、松下幸之助さんの講演を初めて聴いたときのことでした。当時の松下さんは、まだ後年ほどには神格化されておられないころで、私も会社を始めたばかりの、無名な中小企業の経営者にすぎませんでした。

そこで松下さんは有名なダム式経営の話をされた。ダムを持たない川というのは大雨が降れば大水が出て洪水を起こす一方、日照りが続けば枯れて水不足を生じてしまう。だからダムをつくって水をため、天候や環境に左右されることなく水量をつねに一定にコントロールする。それと同じように、経営も景気のよいときこそ景気の悪いときに備えて蓄えをしておく、そういう余裕のある経営をすべきだという話をされたのです。

それを聞いて、何百人という中小の経営者が詰めかけた会場に不満の声がさざ波のように広がっていくのが、後方の席にいた私にはよくわかりました。

「何をいっているのか。その余裕がないからこそ、みんな毎日汗水たらして悪戦苦闘しているのではないか。余裕があったら、だれもこんな苦労はしない。われわれが聞きたいのは、どうしたらそのダムがつくれるのかということであって、ダムの大切さについていまさらあらためて念を押されても、どうにもならない」

そんなつぶやきやささやきが、あちこちで交わされているのです。やがて講演が終わって質疑応答の時間になったとき、一人の男性が立ち、こう不満をぶつけました。

「ダム式経営ができれば、たしかに理想です。しかし現実にはそれができない。どうしたらそれができるのか、その方法を教えてくれないことには話にならないじゃないですか」

これに対し、松下さんはその温和な顔に苦笑を浮かべて、しばらくだまっておられました。それからポツリと「そんな方法は私も知りませんのや。知りませんけども、ダムをつくろうと思わんとあきまへんなあ」とつぶやかれたのです。今度は会場に失笑が広がりました。答えになったとも思えない松下さんの言葉に、ほとんどの人は失望したようでした。

しかし私は失笑もしなければ失望もしませんでした。それどころか、体に電流が走るような大きな衝撃を受けて、なかば茫然《ぼうぜん》と顔色を失っていました。松下さんのその言葉は、私にとても重要な真理をつきつけていると思えたからです。

寝ても覚めても
強烈に思いつづけることが大切

思わんとあきまへんなあ――この松下さんのつぶやきは私に、「まず思うこと」の大切さを伝えていたのです。ダムをつくる方法は人それぞれだから、こうしろと一律に教えられるものではない。しかし、まずダムをつくりたいと思わなくてはならない。その思いがすべての始まりなのだ。松下さんはそういいたかったにちがいありません。

つまり、心が呼ばなければ、やり方も見えてこないし、成功も近づいてこない。だからまず強くしっかりと願望することが重要である。そうすればその思いが起点となって、最後にはかならず成就する。だれの人生もその人が心に描いたとおりのものである。思いはいわば種であり、人生という庭に根を張り、幹を伸ばし、花を咲かせ、実をつけるための、もっとも最初の、そしてもっとも重要な要因なのである――。

折にふれて見え隠れしながら私たちの人生を貫くこの真理を、私はそのときの松下さんのためらいがちなつぶやきから感じとり、また、その後の実人生から真実の経験則として学び、体得していったのです。

ただし願望を成就につなげるためには、並みに思ったのではダメです。「すさまじく思う」ことが大切。漠然と「そうできればいいな」と思う生半可なレベルではなく、強烈な願望として、寝ても覚めても四六時中そのことを思いつづけ、考え抜く。頭のてっぺんからつま先まで全身をその思いでいっぱいにして、切れば血の代わりに「思い」が流れる。

それほどまでひたむきに、強く一筋に思うこと。そのことが、物事を成就させる原動力となるのです。

同じような能力をもち、同じ程度の努力をして、一方は成功するが、一方は失敗に終わる。この違いはどこからくるのか。人はその原因としてすぐに運やツキを持ち出したがりますが、要するに願望の大きさ、高さ、深さ、熱さの差からきているのです。

こういうと、あまりに楽観的すぎると首をかしげる人もいるかもしれません。しかし寝食も忘れて、思って、思って、思い抜くということは、そう簡単にできる行為ではありません。強い思いとすさまじい願望を持続させ、ついには潜在意識にまでしみ込ませるほどでなくてはいけないのです。

企業経営でも、新規の事業展開や新製品開発などでは、頭で考えればたいてい、これは無理だろう、うまくいかないだろうと判断されることのほうが多いものです。しかしその「常識的な」判断にばかり従っていたら、できるものもできなくなってしまう。本気で何か新しいことをなそうとするなら、まずは強烈な思い、願望をもつことが不可欠なのです。

不可能を可能に変えるには、まず「狂」がつくほど強く思い、実現を信じて前向きに努力を重ねていくこと。それが人生においても、また経営においても目標を達成させる唯一の方法なのです。

現実になる姿が「カラーで」見えているか

物事成就の母体は強烈な願望である。あまり科学的とはいえない言葉ですから、これを単なる精神論として退けたがる人もいることでしょう。しかし思いつづけ、考え抜いていると、実際に結末が「見えてくる」ということが起こるものです。

つまり、ああなったらいい、こうしたいということを強く思い、さらには強く思うだけでなく、その実現へのプロセスを頭の中で真剣に、こうしてああしてと幾度も考え、シミュレーションをくり返す。将棋の指し手を何万通りも考えるように、何度も何度も達成への過程を模擬演習し、うまくいかない部分は棋譜を描いては消すように、プランをそのつど練り直してみる。

そうやって思い、考え、練っていくことをしつようにくり返していると、成功への道筋があたかも一度通った道であるかのように「見えて」きます。最初は夢でしかなかったものがしだいに現実に近づき、やがて夢と現実の境目がなくなって、すでに実現したことであるかのように、その達成した状態、完成した形が頭の中に、あるいは目の前に克明に思い描けるようになるのです。

しかも、それが白黒で見えるうちはまだ不十分で、より現実に近くカラーで見えてくる——そんな状態がリアルに起こってくるものなのです。スポーツでいうイメージトレーニングに似ていますが、イメージもぎりぎりまで濃縮すると「現実の結晶」が見えてくるものなのです。

逆にいえば、そういう完成形がくっきりと見えるようになるまで、事前に物事を強く思い、深く考え、真剣に取り組まなくては、創造的な仕事や人生での成功はおぼつかないということです。

たとえば新しく開発した製品でも、求められる仕様、性能などの必要条件がクリアしていればよいというわけではありません。最初に考え抜いて「見えた」理想とする水準にまで達していない製品は、いくら基準を満たしていても、いいものとはいえないのです。そんな無難な水準の製品では、市場に広く受け入れられることはありません。

以前、私と同年代の有名大学を出た研究者がいました。その人が部下とともに苦労して、何か月かの試行錯誤の末、一つの製品を完成させました。しかし、私はその製品を見るやいなや、にべもなく「ダメだ」と突き返したのです。

「なぜですか。お客さんが要求する性能そのままの製品ですよ」

彼は食ってかかってきました。

「違う。私が期待していたのはもっとレベルの高いものだ。だいいち色がくすんでいるじゃないか」

「あなたも技術者なら、『色が悪い』なんて情緒的なことをいわないでください。これは工業製品です。もっと科学的、合理的に評価してもらわないと困ります」

「情緒的だといわれようが、私に見えていたものは、こんなくすんだ色のセラミックスではない」

だからダメだと、私はやり直しを命じたのです。それまでの彼の苦労や、突き返された怒りは百も承知の上です。しかし事情はどうであれ、そこにできてきたものは、それまで私に見えていたものと――外見上ではあるにせよ――明らかに違ったものでした。そこで何度もやり直しをさせた結果、とうとう最後には理想の製品を完成させることに成功したのです。

そのとき私は、「手の切れるようなものをつくれ」といいました。あまりにすばらしく、あまりに完璧《かんぺき》なため、手がふれたら切れてしまいそうな、それほど非の打ちどころがない、完全無欠のものをめざすべきだ。そういうことをいったのです。

「手の切れるような」という形容は、幼いころ私の両親がよく使っていた言葉です。目の前に理想的な完成品が具現化されているとき、人間はそれに手をふれるのもためらわれるような憧憬《どうけい》と畏敬《いけい》の念に打たれるものですが、両親はそれを手の切れるようなと表現していたのです。

それが私の口からもついこぼれ出たのです。「もう、これ以上のものはない」と確信できるものが完成するまで努力を惜しまない。それが創造という高い山の頂上をめざす人間にとって非常に大事なことであり、義務ですらあるのです。

すみずみまでイメージできれば実現できる

もちろん、このことは仕事に限ったことではありません。人生において何かをなそうとするときにも、つねに理想形をめざしてやるべきで、そのためのプロセスとして「見えるまで考え抜く」、つまり思いの強さを持続することが必要になってくるのです。

あえて合格ラインを高く設定し、思いと現実がぴったりと重なり合うまで、いま一歩突き詰めて取り組んでみる。そうすることによって、結果として満足のいくすばらしい成果を上げることができるのです。

またおもしろいことに、事前に明確に見ることのできたものは、最終的にはかならず手の切れるような完成形として実現できるものです。反対に、事前にうまくイメージできないものは、でき上がっても「手の切れる」ものにはならない。これも私が人生のさまざまな局面で経験、体得してきた事実なのです。

ＤＤＩ（現・ＫＤＤＩ）が携帯電話事業を始めたときも、同様です。「これからは携帯電話の時代がやってくる」と私がいい出したときは、周囲の人たちはみんな首をかしげるか、そんなことはありえないと否定論を口にしたものです。

私がいくら〝いつでも、どこでも、だれとでも〟という携帯電話によるコミュニケーションの時代はかならず来る、そして子どもからお年寄りまで、すべての人に生まれながらに電話番号が与えられるような時代が、そう遠くないうちにかならずやってくる、と明言しても、他の役員の失笑を買うばかりでした。

しかし、私には「見えていた」のです。携帯電話という無限の可能性を秘めた製品がどれぐらいのスピードで、どう普及していくか。またどのぐらいの値段や大きさでマーケットに流通するのか。そのイメージが事前にくっきりと見えていた。

なぜなら当時、京セラで手がけていた半導体部品などの事業を通じて、私は半導体の技術革新の速度や、そのサイズやコストの変遷について十分な経験知をもっており、そこから類推して、携帯電話という新しい商品の市場の広がりを、かなりの精度で予想することができたからです。

それればかりか、私は契約料はいくらで月ごとの基本料金はいくら、通話料はこういう値段と、将来の料金設定まではっきりと予想できていました。そのとき私がいった料金設定を、当時の事業本部長が手帳にメモしていたのですが、実際に携帯電話事業がスタートしたときに、彼があらためてそのメモを眺めたところ、なんとそれが、実際の料金体系とほとんど変わらなかったのです。

携帯電話に限らず製品やサービスの値段というのは、マーケットの需給バランスや投資額の回収などを考慮に入れたうえで、複雑で精密な原価計算を経て初めて割り出されてくるものです。それが、まだそういうことをいっさいやっていないうちから、私にはサービス料金まで明確にイメージできていた。担当の事業部長は、「神がかりとしか思えない」

と驚き、あきれていましたが、それが「見える」ということなのです。

そうして、すみずみまで明瞭《めいりょう》にイメージできたことは間違いなく成就するのです。すなわち見えるものはできるし、見えないものはできない。したがって、こうありたいと願ったなら、あとはすさまじいばかりの強さでその思いを凝縮して、強烈な願望へと高め、成功のイメージが克明に目の前に「見える」ところまでもっていくことが大切になってきます。

そもそも、こうありたいと願うこと自体、それを現実にする力が潜在的に備わっている証拠です。人間は素質や能力がないことを、あまりしたいとは思わないものです。

ですから自分が成功した姿を思い描けるということは、その人にとって成功の確率がきわめて高いということなのです。目をつぶって成功した姿を想像してみたとき、その姿がうまくイメージできるのなら、それはかならず実現し、成就するということです。

細心の計画と準備なくして成功はありえない

いままでだれも試みなかった前例のないことに挑戦するときには、周囲の反対や反発は避けられません。それでも、自分の中に「できる」という確固とした思いがあり、それがすでに実現しているイメージが描けるならば、大胆に構想を広げていくべきです。

構想そのものは大胆すぎるくらいの「楽観論」に基づいて、その発想の翼を広げるべきであり、また周囲にも、アイデアの飛躍を後押ししてくれるような楽観論者を集めておくのがいいのです。

以前、私はよく新しい考えやアイデアを思いついたとき、「こういうことをひらめいたが、どうだろう」と幹部を集めて意見を聞くことがありました。そういうとき、難関大学を出た優秀な人ほど反応が冷ややかで、そのアイデアがどれだけ現実離れした無謀なものであるか、ことこまかに説明してくれることが多いのです。

彼らのいうことにも一理あり、その分析も鋭いものなのですが、だからといってできない理由ばかりをあげつらっていたのでは、どんないいアイデアも冷水を浴びせたようにしぼんでしまい、できることもできなくなってしまいます。

そういうことが何度かくり返されたあと、私は相談する相手を一新しました。つまり新しく、むずかしい仕事に取り組むときには、頭はいいが、その鋭い頭脳が悲観的な方向にばかり発揮されるタイプよりも、少しばかりおっちょこちょいなところがあっても、私の提案を「それはおもしろい、ぜひやりましょう」と無邪気に喜び、賛同してくれるタイプの人間を集めて話をするようにしたのです。むちゃな話だと思われるかもしれませんが、構想を練る段階では、実はそれくらい楽観的でちょうどいいのです。

ただし、その構想を具体的に計画に移すときには、打って変わって悲観論を基盤にして、あらゆるリスクを想定し、慎重かつ細心の注意を払って厳密にプランを練っていかなくてはなりません。大胆で楽観的にというのは、あくまでアイデアや構想を描くときに有効なのです。

そしてその計画をいざ実行する段階になったら、再び楽観論に従って、思い切って行動にとりかかるようにする。すなわち「楽観的に構想し、悲観的に計画し、楽観的に実行する」ことが物事を成就させ、思いを現実に変えるのに必要なのです。

これについては、冒険家の大場満郎さんからお聞きした話が参考になるでしょう。大場さんは世界で初めて、北極と南極を単独で徒歩横断した人です。その冒険に京セラの製品を提供したことから、お礼にと大場さんが私を訪ねてきてくれたことがありました。

私はそのとき、開口一番、命がけの冒険を辞さない大場さんの勇気をたたえたのですが、大場さんはちょっと困ったような顔をして、それを即座に否定されました。

「いえ、私に勇気はありません。それどころか、たいへんな怖がりなんです。臆病《おくびょう》ですから細心の注意を払って準備をします。今回の成功の要因もそれでしょう。逆に冒険家が大胆なだけだったら、それは死に直結してしまいます」

それを聞いて私は、どんなことであれ事をなす人物は違うものだ、人生の真理というものをその掌中にしっかり握っておられると感心しました。臆病さ、慎重さ、細心さに裏打ちされていない勇気は単なる蛮勇にすぎないのだと、この希代の冒険家はいいたかったのでしょう。

病気になって学ばされた心の大原則

これまで、人生は心のありようでいかようにも変えられるという、人が生きるための大原則について述べてきましたが、実は私の人生は失敗と挫折《ざせつ》の連続で、何度も痛い目にあいながら、その法則を「思い知らされた」というのが実情なのです。

若いころの私といえば、やることなすこと、ことごとくうまくいかず、「こういう方向に行きたい」と希望して、かなうことは一度もありませんでした。どうして自分の人生はうまくいかないのか、なんて運の悪い男だと、天に見放されたように思い、不平不満を募らせ、世をすねたり恨んだりしたことも再三でした。そんな蹉跌《さてつ》をくり返すばかりの人生の中で、すべては自分の心が引き起こしたものであると徐々に悟っていったのです。

最初の挫折体験は中学受験の失敗でした。ついで、その直後に結核に侵されました。当時、結核は不治の病であり、さらに私の家系は叔父二人、叔母一人をともに結核で亡くすという〝結核家系〟でした。

「オレも血を吐いて、もうじき死ぬのか」――まだ幼い私は打ちのめされ、微熱の続くだるい体を持て余し、はかない気持ちにさいなまれながらも、病の床に伏せる他に方途はありませんでした。

そのときに、隣の家のおばさんが不憫《ふびん》に思ったのでしょう、これでも読んでみなさいと、「生長の家」の創始者である谷口雅春さんの『生命の実相』という本を貸してくれました。中学に入ろうとする子どもにとっては、ややむずかしすぎる内容でしたが、私は何かにすがりたい一心で、わからないなりに読みふけり、やがてそこに、

「われわれの心のうちには災難を引き寄せる磁石がある。病気になったのは病気を引き寄せる弱い心をもっているからだ」

というくだりを見いだして、その言葉にくぎづけになりました。谷口さんは「心の様相」という言葉を使って、人生で出合う事柄はみんな自分の心が引き寄せたものである。病気もその例外ではない。すべては心の様相が現実にそのまま投影するのだということを説いておられました。

病も心の投影であるとは、少し酷すぎる言い方ですが、そのときの私にはおおいに心当たりのあることでした。というのも叔父が結核にかかり、自宅の離れで療養しているとき、私は感染を恐れるあまり、いつも叔父が寝ている部屋の前を鼻をつまんで走り抜けていたからです。一方、父は付き添って看病を怠らず、私の兄もそんなに簡単にうつるものかと平然としていました。つまり、私だけが親族の病を忌み嫌うように、ことさら避けていたのです。

その天罰が下ったかのように、父も兄も何ともないのに、私だけがうつってしまった。ああ、そういうことかと私は思いました。避けよう、逃げようとする心、病気をことさら嫌う私の弱い心が災いを呼び込んだのだ。恐れていたからこそ、そのとおりのことがわが身に起こった。否定的なことを考える心が、否定的な現実を引き寄せたのだと思い知らされたのです。

なるほど心の様相が現実そのものなのだと、少年の私は谷口さんの言葉を痛感し、自らの振る舞いを反省もして、それからはなるべくよいことを思おうと誓いもしました。しかしそこは衆生凡人の悲しさで、心のありようはなかなか改まらず、それからもまだ、紆余《うよ》曲折の人生が続くことになりました。

運命は自分の心次第という真理に気づく

幸い結核は治癒して、学校生活へ戻ることができたのですが、その後も失敗や挫折とは縁が切れませんでした。大学受験も第一志望は不合格。地元の大学へ進学し、成績はかなりよかったものの、世は朝鮮戦争の特需景気が一段落したころで不景気の最中。縁故もない私は、就職試験を受けては落ちるということのくり返しです。田舎《いなか》の新設大学の卒業生など試験さえ受けさせてくれるところも少なく、私は世の不公平とおのれの不運を呪《のろ》いました。

どうして、自分という人間はこうついていないのだ。宝クジを買っても、私の前後は当たっても私だけは「はずれ」だろう。どうせ空振りばかりならと、心はだんだんあらぬほうに傾いていき、先にも述べたように、空手をやっていて多少は腕に覚えもあったので、いっそやくざにでもなってやろうかと、繁華街のとある組事務所の前をうろついたりしたこともありました。

何とか大学の教授のお世話で京都の碍子《がいし》製造メーカーにもぐり込むことができましたが、内実は明日つぶれてもおかしくないオンボロ会社で、給料の遅配は当たり前、おまけに経営者一族の内輪もめまで起こっていました。

せっかく入った会社がそういう状態なので、私は同期入社の数人と顔を合わせては愚痴と不満をこぼしあい、毎日いつ辞めようかという相談ばかりしていました。やがて同僚たちは他に仕事を見つけて、一人辞め、二人辞め、とうとう私だけが一人ポツンと取り残されてしまいました。

さすがに、そこまで進退窮まるとかえって吹っきれた思いになりました。これ以上、この境遇を呪っていてもしかたがない、ここは一八〇度気持ちを切り替えて、仕事に精を出し、必死に研究に取り組んでみようと腹を据えたのです。それからは鍋《なべ》や釜《かま》まで研究室に持ち込んで実験づけの日々を自分に課しました。

すると、その心の変化が反映したように研究の成果が上がりはじめました。目に見えてよい結果が出て上司からの評価もよくなると、ますます仕事に熱中するようになる。すると、さらによい結果が生まれるという好循環が生まれたのです。

そしてついに、当時普及しはじめていたテレビのブラウン管の電子銃に使用するファインセラミックス材料を独自の方法で、日本で初めて合成、開発することに成功したのです。それによって周囲の評価もぐっと高まってきました。私は給料の遅れさえ気にならないほど仕事がおもしろく、生きがいさえ感じるようになっていきました。ちなみにそのとき身につけた技術の蓄積や実績がもとになって、のちに京セラを興すことになるのです。

心の持ち方を変えた瞬間から、人生に転機が訪れ、それまでの悪循環が断たれて好循環が生まれ出したのです。このような経験から、私は人間の運命はけっして敷かれたレールを行くかのように決定されているものではなく、自分の意志でよくも悪くもできるのだということを確信するようになりました。

つまり自分に起こるすべてのことは、自分の心がつくり出しているという根本の原理が、さまざまな蹉跌や曲折を経て、ようやく人生を貫く真理として得心でき、腹の底に収まってきたのです。

浮き沈みの激しい人生を送り、自分の運命は自分の手で切り開いてきたと思える人でも、その山や谷、幸不幸はみんな自分の心のありようが呼び寄せたものです。自分に訪れる出来事の種をまいているのはみんな自分なのです。

たしかに運命というものは、私たちの生のうちに厳然として存在します。しかしそれは人間の力ではどうにも抗《あらが》いがたい「宿命」なのではなく、心のありようによっていかようにも変えていけるものです。運命を変えていくものは、ただ一つ私たちの心であり、人生は自分でつくるものです。東洋思想では、それを「立命」という言葉で表現しています。

思いという絵の具によって、人生のキャンバスにはその人だけの絵が描かれる。だからこそ、あなたの心の様相次第で、人生の色彩はいかほどにも変わっていくのです。

あきらめずやり通せば成功しかありえない

新しいことを成し遂げられる人は、自分の可能性をまっすぐに信じることができる人です。可能性とはつまり「未来の能力」のこと。現在の能力で、できる、できないを判断してしまっては、新しいことや困難なことはいつまでたってもやり遂げられません。

自分の可能性を信じて、現在の能力水準よりも高いハードルを自分に課し、その目標を未来の一点で達成すべく全力を傾ける。そのときに必要なのは、つねに「思い」の火を絶やさずに燃やしつづけるということです。それが成功や成就につながり、またそうすることで、私たちの能力というのは伸びていくものなのです。

京セラが、IBMから初めて大量の部品製造の発注を受けたときのこと、その仕様は信じられないほど厳しいものでした。仕様書は図面一枚というのが通常であった時代に、IBMのそれは本一冊ぶんくらいあり、内容も詳細厳格を極めていました。そのため、何度試作しても、ダメだとはねられてしまう。やっと規格どおりの製品ができたと思っても、すべて不良品の烙印《らくいん》を押されて返品されてきました。

寸法精度が従来よりひとケタ厳しいうえ、その精度を測定する機器すら、わが社にはないのです。正直、これはわれわれの技術では不可能だろうという思いが幾度も頭をよぎりました。しかし、名もない中小企業にすぎなかった当時の京セラにとっては、自社の技術を高め、その名を知らしめるまたとない好機です。弱気になる社員を叱咤《しった》し、全身全霊を傾けて、やるべきことはすべてやり、もてる技術はみんな注ぎ込むようにと指示しました。それでもうまくいきません。

万策尽き、セラミックスを焼く炉の前で茫然と立ちつくす技術担当者に、私は「神に祈ったのか」と尋ねました。人事を尽くし、あとはもう天命を待つほかない。そこまで力を尽くしきったのか、と私はいいたかったのです。

そのような超人的な努力をくり返した結果、ついに恐ろしく高い要求水準を満たす「手の切れる」ような製品の開発に成功、二年あまり工場をフル稼働させて、膨大な量の製品をすべて納期に間に合うように送り出すことができたのです。製品を積み込んだ最後のトラックが走り去るのを見送りながら、私はつくづく感じました。

「人間の能力は無限だ――」

いっけん無理だと思える高い目標にもひるまず情熱を傾け、ひたむきな努力研鑽《けんさん》を惜しまない。そのことが私たちの能力を、自分自身もびっくりするほど伸長させる。あるいは眠っていた大きな潜在能力を開花させるのです。

ですから、できないことがあったとしても、それはいまの自分にできないだけであって、将来の自分にならば可能であると未来進行形で考えることが大切です。まだ発揮されていない力が眠っていると信じるべきなのです。

このときの私は、当時の私たちがもっていた技術水準を大きく上回る仕事を引き受けていたことになる。その限りでは、無謀な安請け合いをしてしまったともいえるでしょう。

しかし、これは私の常套《じょうとう》手段でした。創業当時から、大手メーカーがむずかしいと断った仕事を、あえて引き受けることがよくありました。そうしないと、実績のない新興弱小企業では仕事がとれないという事情もありました。

もちろん大手が断った高度な技術水準の仕事を、私たちができるあてはない。それでも私はできませんとは絶対にいわない。できるかもしれませんとあいまいなことも口にしない。勇気を奮って「できます」と断言して、そのむずかしい仕事を引き受けてくるのです。そのたびに部下は困惑し、しり込みしてしまいます。

しかし、そういうときにも私はつねに、「かならずできるはずだ」と思っていました。また、どうすればそれがつくれるのかというアイデアを出し、それができれば今後どれだけ会社にとってプラスになるのかを情熱を込めて部下に語ることで、かかわった人が全員、熱い思いをもってチャレンジすることができるよう努めました。

それでも、そう簡単に事が運ばないことも往々にしてありましたが、困難に直面するたびに、私はこのようにみんなを叱咤激励しました。

「もうダメだ、無理だというのは、通過地点にすぎない。すべての力を尽くして限界まで粘れば、絶対に成功するのだ」

たしかに、不可能だと思えることを「できる」と引き受けた時点では、嘘《うそ》をついたのにも等しい。しかし、不可能な地点から始めて、最後は神が手を差し伸べてくれるまで必死の思いでやりつづけ、ついに完成すれば、安請け合いという嘘は実績という真実を生んだことになる。このようにして、私はこれまで再三再四、不可能を可能に変えてきた。すなわち、いつも自分の能力を未来進行形で考えて仕事を行ってきたのです。

努力を積み重ねれば平凡は非凡に変わる

遺伝子学の第一人者である筑波大学名誉教授の村上和雄先生は、いわゆる「火事場のバカ力」に関して、とてもわかりやすい解説をしておられます。極限状況で発揮される人間の力が、なぜふだんは眠っているのか。それは、そうするための遺伝子の機能が通常はOFFになっているからで、このスイッチがON状態になれば、ふだんでも火事場のバカ力を発揮することは可能だというのです。

そして、その潜在力をONにするには、プラス発想や積極思考など前向きの精神状態や心の持ち方が大きく作用しているといいます。思いの力が私たちの可能性をおおいに広げてくれるということが、遺伝子レベルで解明されはじめているわけです。

ちなみに、どれくらいのことが人間に可能なのか。人間の頭で、これをしたい、こうあってほしいと考えられるようなことは、遺伝子レベルで見れば、たいてい可能な範囲にあるそうです。つまり「思ったことはかなえられる」能力が、私たちの中には潜在しているのです。

ただし、志を高くもつことは大事ですが、それを実現するには、やはり目標に向かって一歩一歩積み重ねる地道な努力を欠かすことはできません。

京セラがまだ町工場だったころから、当時は百人に満たなかった社員に向かって、私はくり返し、この会社をかならず世界一の会社にするぞと〝大言壮語〟していました。それは遠い夢物語でしたが、かならず成し遂げてみせると心に強く抱いた願望でもありました。

しかし、目はいくら空の高いところを見ていても、足は地面を踏むことしかできません。夢や望みはいかに高くても、現実にはくる日もくる日も、地味で単純な仕事をこなすので精いっぱいでした。昨日の仕事の続きを一ミリでも、一センチでも前へ進めるために、汗をかきながら一生懸命、目の前に横たわる問題を一つひとつかたづけることに追われるうちに一日が暮れてしまう。

「こんなことを毎日くり返していて、世界一になるのはいったい、いつの日のことか」

夢と現実の大きな落差に打ちのめされることもしばしばありました。けれども、結局のところ、人生とはその「今日一日」の積み重ね、「いま」の連続にほかなりません。

いまこの一秒の集積が一日となり、その一日の積み重ねが一週間、一か月、一年となって、気がついたら、あれほど高く、手の届かないように見えた山頂に立っていた――というのが、私たちの人生のありようなのです。

短兵急をめざしても、まず今日一日を生きないことには明日は訪れません。かくありたいと思い描いた地点まで一瀉《いっしゃ》千里に行く道などないのです。千里の道も一歩からで、どんな大きな夢も一歩一歩、一日一日の積み重ねの果てに、やっと成就するものです。

しかし、そうして今日一日をないがしろにせず、懸命、真剣に生きていけば、明日は自然に見えてきます。その明日をまた懸命に生きれば一週間が見えてくる。その一週間を懸命に生きれば一か月が見えてくる……つまり、ことさら先を見ようとしなくても、いまという瞬間瞬間に全力を傾注して生きることによって、そのとき見えなかった未来の姿がやがて自然に見えるようになってくるものです。

私自身もまさに、そういう亀《かめ》のような歩みでした。地味な一日の集積と継続によって、いつしか会社も大きくなり、私を現在の位置にまで到達させたのです。

ですからいたずらに明日を煩ったり、将来の見通しを立てることに汲々《きゅうきゅう》とするよりも、まずは今日一日を充実させることに力を注いだほうがいい。それが結局、夢を現実のものとする最善の道なのです。

毎日の創意工夫が大きな飛躍を生み出す

私があまり才子を買わないのは、才子というのは往々にして、今日をおろそかにする傾向があるからです。才子はその才知ゆえになまじ先が見えるから、つい、今日一日をじっくり生きる亀の歩みを厭《いと》い、脱兎《だっと》のごとく最短距離を行こうとする。しかし、功を焦るあまり、思わぬところで足をとられることも、また少なくありません。

京セラにもこれまで、優秀で利発な人間がたくさん入社してきましたが、そういう人に限って、この会社には将来がないと辞めていきました。したがって残ったのは、あまり気の利かない、平凡で、転職する才覚もない鈍な人材ということになる。しかし、その鈍な人材が十年後、二十年後には各部署の幹部となりリーダーとなっていく。そういう例もずいぶん見てきました。

彼らのような平凡な人材を非凡に変えたものは何か。一つのことを飽きずに黙々と努める力、いわば今日一日を懸命に生きる力です。また、その一日を積み重ねていく継続の力です。すなわち継続が平凡を非凡に変えたのです。

安易に近道を選ばず、一歩一歩、一日一日を懸命、真剣、地道に積み重ねていく。夢を現実に変え、思いを成就させるのは、そういう非凡なる凡人なのです。

ただし、継続が大切だといっても、それが「同じことをくり返す」ことであってはなりません。継続と反復は違います。昨日と同じことを漫然とくり返すのではなく、今日よりは明日、明日よりは明後日と、少しずつでいいから、かならず改良や改善をつけ加えていくこと。そうした「創意工夫する心」が成功へ近づくスピードを加速させるのです。

私は技術者あがりのせいもあって、これでいいのか、もっといいやり方はないかという疑問を、いつも自分に投げかけることを習い性としてきました。そういう目で見れば、雑用ひとつとっても、そこに工夫の余地は無数にあるものです。

たとえば単純な例ですが、掃除をするにしても、いままではほうきを使っていたのを、今度はモップを使ってみてはどうだろう。あるいは、多少お金はかかるが、上司に願い出て掃除機を買ってもらったらどうかなどと、より早く、よりきれいにする方法をいろいろな角度から考えてみる。また、掃除の手順ややり方にも工夫を重ねる。そうすることで、さらに手際よく効果的にできるようになっていくのです。

どんなに小さなことにも工夫改良の気持ちをもって取り組んだ人と、そうでない人とでは、長い目で見ると驚くほどの差がついているものです。掃除の例でいえば、毎日創意工夫を重ねた人は、独立してビル掃除を請け負う会社を設立し、その社長に納まっているかもしれない。それに対して、漠然とノルマをこなすだけで工夫を怠った人は、相変わらず同じような掃除を毎日続けているにちがいありません。

昨日の努力に少しの工夫と改良を上乗せして、今日は昨日よりもわずかながらでも前進する。その、よりよくしようという姿勢を怠らないことが、のちに大きな差となって表れてくる。けっして通い慣れた同じ道は通らないということが、成功に近づく秘訣《ひけつ》なのです。

現場に宿る「神の声」が聞こえているか

仕事の現場には、神がいます。たとえば、どんなに工夫をこらし、試行錯誤を重ねてもうまくいかず、壁にぶち当たって万策尽きたと思えることがあります。しかし、もうダメだと思ったときが実は始まりで、そういうときはいったん冷静な気持ちに戻って、もう一度いまいる場所から周囲を観察し直してみることです。

中坊公平さんは、森永砒素《ひそ》ミルク事件や豊田商事事件など、多くの有名な事件の弁護団長を務めてこられた方ですが、その中坊さんにお会いしたとき、私は、事件に取り組むうえでもっとも大切なことは何ですか、と尋ねたことがあります。

すると、中坊さんは「事件の鍵《かぎ》はすべて現場にあります。現場には神が宿っているのです」と答えられました。畑は違えど、もっとも大切な仕事のツボはやはり同じで、現場主義に徹してしっかりと現象を観察することが大切なのだと、あらためて納得しました。

たとえばそれが製造現場なら、製品や機械、材料や道具、あるいは工程に至るまで、すべての要素を一つひとつ洗い直し、また、素直、謙虚な目ですみずみまで見直してみることが大切なのです。

これは物理的な再点検を行うとか初心に帰るということでもありますが、実はそれ以上のものです。いってみれば製品や現場に対して、あらためて目を向け、身を寄せ、心を添わせ、耳を傾ける行為です。

すると神の声が聞こえてくる。現場や製品のほうから、「こうしたらどうだ」と解決のヒントをささやきかけてくることがあるのです。私はこれを「製品の語りかける声に耳を傾ける」といっています。

セラミックスという製品は、粉末状にした金属の酸化物をプレスして成型し、それを高温炉の中で焼き上げることによってでき上がります。陶磁器などと同じ一種の焼き物なのですが、電子工業向けの製品ですから、そこにはきわめて高い精度が要求されます。わずかな寸法違いや焼きムラ、変形も許されません。

創業間もないころ、ある製品を試作しているとき、実験炉の中で焼くと、ちょうどスルメをあぶったように製品があっちに反ったりこっちに反ったりして、まるでお粗末なものしかできないことがありました。

何度も試行錯誤をくり返すうちに、プレス時の圧力のかかり方が違うため、製品の上面と下面では粉末の密度が異なってしまうことが、反りの原因であることを突き止めました。しかし、そのメカニズムは突き止めたものの、実際に粉末の密度を一定にするのはたいへんむずかしいことでした。

工夫改良を重ねて何度トライしてみても、思ったとおりに焼き上がってきません。そこで、どのように反っていくのか、その変化の様子をこの目で見たいと思い、炉にのぞき穴を開けて、じっくり観察してみることにしました。

するとやはり、温度が上がるにつれて、製品はまるで生き物みたいに反り返っていく。何回やっても、見ている私の思いを無視するかのように反ってしまうのです。私は見ていて堪えられなくなり、思わず穴から炉の中に手を入れたくなりました。「お願いだから反らないでくれ!」。製品を上から押さえつけて、反りを直してしまいたい衝動に駆られたのです。技術者としての製品への深い思い入れはもちろんのこと、損失を出してはいけないという経営者としての心の焦りもありました。

むろん炉の中は千何百度という超高温ですから、実際に手を入れることなどできません。そうとわかっていても、つい穴から手を突っ込みたくなった。それほど私の中では、製品への思い入れの内圧が高まっていたのです。

そしてその思いに、ついに製品がこたえてくれたのです。なぜなら、このとき感じた「上から押さえたい」という、とっさの衝動が、実は解決策につながっていったからです。その後、製品の上に耐火性の重しを乗せて焼いてみたところ、反りのないまっ平らなものを焼き上げることができたのです。

このことについて、私はこう考えています。答えはつねに現場にある。しかしその答えを得るには、心情的には仕事に対するだれにも負けない強い情熱や、深い思い入れをもつことが必要である。そして物理的には、現場を素直な目でじっくりと観察してみる。じっと目を向け、耳を傾け、心を寄り添わせるうちに、私たちは初めて「製品が語りかけてくる声」を聞き、解決策を見いだすことができる、と。

技術者らしくない非科学的な言い方かもしれませんが、こちらの思いの深さと観察の鋭さに応じて、無機質であるはずの現場や製品にも「生命」が宿り、無言の声を発する――いわば「心に物がこたえる」瞬間を経て、物事というのは成就していく。製品でいえば、手の切れるようなものができ上がっていくのだと思います。

つねに「有意注意」の人生を心がけよ

また、こんな例もあります。

京セラグループでは、アモルファスシリコンドラムと呼ばれる感光ドラムを使ったプリンタや複写機を製造しています。この特殊な感光ドラムはきわめて硬度が高いため、何十万枚という大量印刷をしても摩耗せず、プリンタの寿命がくるまでドラム交換をする必要性がありません。

環境にもやさしい製品として、京セラが世界にさきがけて量産に成功したものです。このアモルファスシリコンドラムは、よく研磨したアルミニウムの筒の表面にシリコンの薄い膜を形成するのですが、表面全体に均一の厚さで成膜しないと感光体の役目を果たすことができません。しかしこの膜の厚さを一定に保つのは、技術的にきわめてむずかしいことなのです。

何せ一〇〇〇分の一ミリ単位の厚さの誤差やムラがあってもダメなのです。研究を始めて三年くらいたったころに一度成功したのですが、もう一回つくろうとしたら、もうできません。

この再現性、つまり続けてつくることができないかぎり、メーカーの量産技術としては確立できたとはいえません。当時、この研究は世界中で行われていましたが、どこも量産に成功したところはありませんでした。それで私もいったんは断念しかけたのです。

しかし、もう一度だけ、初心に戻って現場を見つめ直すことからやってみようと思いました。膜の形成過程で起こる現象や変化を、一つひとつ自分の目で確かめていけば、かならずその目は何かをとらえ、耳は語りかけてくる声を聞くことができるはずだと思ったのです。

そこで担当の研究員に、どんなときに、どんな現象が起こるのか、とにかく些細《ささい》なことも見逃さず、注意深く観察してみろとハッパをかけました。

ところが、ある夜、現場をのぞいてみると、熱心に観察しているはずの研究員が居眠りの〝舟をこいで〟います。聞こえてくるのは製品の声どころか、彼の寝息くらいです。

私はこの研究員を、観察眼の鋭い他の研究員と交代させることにしました。同時に研究所も鹿児島から滋賀へと移し、リーダーを含め他のスタッフも大幅に入れ替えて、新人をたくさん起用しました。何年間も固定メンバーでやってきた組織を根底からつくり直すのですから、常識で考えればリスクのほうがはるかに大きい。しかし結局、それが奏功して、それから一年後には量産に成功することができたのです。

自分の仕事やつくる製品への深い思い入れ、現場でのつぶさな観察を怠らない熱意が、前任者たちには欠けていたが、後任者たちには備わっていた。それがなければ、新しい開発などはできません。それぐらいの厳しさが、モノをつくり出すうえでは必要だということなのです。

「有意注意」という言葉があります。意をもって意を注ぐこと。つまり、目的をもって真剣に意識や神経を対象に集中させることです。たとえば音がして、反射的にそちらをパッと向く。これは無意識の生理的な反応ですから、いわば「無意注意」です。

有意注意は、あらゆる状況の、どんな些細な事柄に対しても、自分の意識を「意図的に」凝集させることです。したがって前項で述べた観察するという行為などは本来、この有意注意の連続でなくてはなりません。ただ漫然と対象を眺めていたり、注意力にムラがあるようでは有意注意にはならない。

中村天風さんは、この意をもって意を注ぐことの重要性を強調され、「有意注意の人生でなければ意味がない」とまでいわれています。私たちの集中力には限界がありますから、つねに意識を一つのものに集めることはむずかしいのですが、そうであるよう心がけていると、だんだんとこの有意注意が習慣化されて、物事の本質や核心がつかめ、的確な判断を下せる力が備わってきます。

私も若いころは、忙しいさなか部下との連絡を廊下の立ち話などですませ、そのときの応答があとで問題になることがありました。部下はたしかに話しましたといい、私は聞いていないという――そんなことを何度か経験してから、私は廊下などで部下の報告を受けることをいっさいやめました。

話や相談があるなら、部屋でもいいし、事務所の隅っこでもいい。とにかく集中できるところで聞くことにして、何かのついでに部下の報告を受けるという軽率な行為を自分に禁じたのです。

有意注意とは、たとえていえば錐《きり》を使う行為に似ています。錐は力を先端の一点に凝集させることで効率よく目的を達成する道具です。その機能の中心は「集中力」にあります。錐のように全力で一つの目的に集中すれば、だれもがかならず事をなしうるはずです。

そして集中力とは、思いの力の強さ、深さ、大きさから生み出されてくるものです。事をなすには、まずかくあれかしと思うことがその起点となるといいました。その思いをどれだけ強く抱き、長く持続して、実現のために真剣に取り組めるか。それがすべての成否を分けるのです。

あふれるほどの夢を描け、人生は大飛躍する

これまで、思いの力を知り、それを意識的に活用することの大切さについて、実例を交

えながら述べてきました。この思いの力をうまく働かせて、人生や仕事で大きな成果を得るには、まず、その土台となる「大きな夢」を描くことが肝心です。

夢をもて、大志を抱け、強く願望せよ。こういうと、毎日の生活をやりすごすだけで精いっぱいだ、夢だの希望だのと何をのんきなことをいっているのかと思うかもしれません。

しかし、自分の人生を自分の力でしっかりと創造していける人というのは、かならずその基盤として、大きすぎるくらいの夢、身の丈を超えるような願望を抱いているものです。私にしても、自分をここまで引っ張ってきてくれた原動力は、若いときに抱いた夢の大きさ、目標の高さだったといってもいいでしょう。

前述のように、京セラを創業した当初から、私は、「この会社を世界一のセラミックスメーカーにしたい」という大志を抱き、従業員に対しても、つねにそう話していました。もちろんそのための具体的戦略があったわけでも、確実な目算があったわけでもない。その時点では、身のほど知らずの夢にすぎませんでした。しかし私は、コンパの席などで、つねにくり返しくり返し、同じ夢を従業員に語りつづけました。そのようなことを通じて、私の「思い」は、全従業員の「思い」ともなり、やがて結実することとなったのです。

どんな遠い夢も、思わないかぎりはかなわないし、そうありたいと強く心が求めたものだけを私たちは手に入れることができる。そのためには潜在意識にしみ込むまで、思って、思って、思いつづける――夢を語ることは、その行為の一つであり、実際に私たちはそうすることによって、その大きすぎるほどの夢をほぼ現実のものとしました。

夢が大きければ大きいほど、その実現までの距離は遠いものになる。しかし、それでもそれが成就したときの姿や、そこへ至るプロセスを幾度もシミュレーションし、眼前に「見える」までに濃密にイメージしていると、実現への道筋がしだいに明らかに見えてくるとともに、そこへ一歩でも近づくためのさまざまなヒントが、何げない日常生活からも得られるようになっていくものです。

街を歩いているとき、お茶を飲みながらぼんやり考えごとをしているとき、友人と談笑しているとき……他の人が何でもなく見過ごしてしまう、何げない場面の些細な出来事から、不意に夢をかなえるためのアイデアやヒントがひらめくことがあります。

同じものを見聞きしても、ある人はそこから重要なヒントを得るが、ある人はぼんやり見過ごしてしまう。その違いは何にあるのかといえば、日ごろの「問題意識」です。よくいわれるように、リンゴが木から落ちるのを見た人はたくさんいますが、そこから万有引力の存在を見いだしたのは、ニュートンだけなのです。それは、潜在意識に透徹するほどの強烈な問題意識をニュートンがもっていたからであり、先に述べた神の啓示、いわゆる創造的な業績の源泉となるインスピレーションも、そのような夢を通じて強い願望を抱きつづけられる人にこそ与えられるものなのです。

私たちはいくつになっても夢を語り、明るい未来の姿を描ける人間でありたいものです。夢を抱けない人には創造や成功がもたらされることはありませんし、人間的な成長もありません。なぜなら、夢を描き、創意工夫を重ね、ひたむきに努力を重ねていくことを通じて、人格は磨かれていくからです。そういう意味で、夢や思いというのは人生のジャンプ台である――そのことを強調しておきたいと思います。

第❷章

原理原則から考える

人生も経営も原理原則はシンプルがいい

私たちはともすると、物事を複雑に考えすぎてしまう傾向があるものです。しかし、物事の本質は実は単純なものです。いっけん複雑に見えるものでも、単純なものの組み合わせでできている。人間の遺伝子は三十億という気の遠くなるような数の塩基配列からできているそうですが、それを表す文字の種類はたった四つにすぎません。

真理の布は一本の糸によって織られている――したがって、さまざまな事象は単純にすればするほど本来の姿、すなわち真理に近づいていきます。そのため、複雑に見えるものほどシンプルにとらえ直そうという考え方や発想が大切なのです。

これは人生の法則といえますが、経営にもそのまま当てはまることです。人生も経営もその根本の原理原則は同じで、しごくシンプルなものなのです。人からよく経営のコツや秘訣《ひけつ》を聞かれることがあるのですが、私の持論を述べると、みなさんけげんな顔をされることが多い。そんな簡単なことは知っている、そんな原始的なことで経営ができるのかというわけです。

二十七歳で京セラを始めたとき、私にはセラミックスの技術者として多少のキャリアはありましたが、会社経営については、知識も経験もまったくありませんでした。しかし会社では、さまざまな問題や決定を要する事項が次々に起こってきます。その一つひとつについて、その対策や解決策は、責任者である私が最終的に決めていかなくてはなりません。営業のこと、経理のこと、自分が知らない分野のことでも、決断をすみやかに下していかなくてはならない。

たとえそれが些細《ささい》な問題であっても、判断をひとつ間違えれば、できたばかりの小さな会社にとっては存続にかかわってきます。ところが技術者出身の私は、それを判断するための知識というものを持ち合わせていません。前はこうだったから、こうすればいい、という経験則の蓄積もない。

いったい、どうしたらいいのだろう。私は悩みました。そしてその末に行き着いたのは、「原理原則」ということでした。すなわち「人間として何が正しいのか」というきわめてシンプルなポイントに判断基準をおき、それに従って、正しいことを正しいままに貫いていこうと考えたのです。

嘘《うそ》をつくな、正直であれ、欲張るな、人に迷惑をかけるな、人には親切にせよ……そういう子どものころ親や先生から教わったような人間として守るべき当然のルール、人生を生きるうえで先験的に知っているような、「当たり前」の規範に従って経営も行っていけばいい。

人間として正しいか正しくないか、よいことか悪いことか、やっていいことかいけないことか。そういう人間を律する道徳や倫理を、そのまま経営の指針や判断基準にしよう。経営も人間が人間を相手に行う営みなのだから、そこですべきこと、あるいはしてはならないことも、人間としてのプリミティブな規範にはずれたものではないはずだ。

人生も経営も、同じ原理や原則に則して行われるべきだし、また、その原理原則に従ったものであれば、大きな間違いをしなくてすむだろう——そうシンプルに考えたのです。

それゆえ、迷うことなく正々堂々と経営を行うことができるようになり、その後の成功にもつながっていったのです。

迷ったときの道しるべとなる「生きた哲学」

人間としてのもっとも正しい生き方へと導くシンプルな原理原則、それはすなわち、哲学といいかえてもよいでしょう。しかしそれはこむずかしい理屈ばかりの机上の学問ではない、経験と実践から生み出された「生きた哲学」のこと。

なぜ、そのような哲学を確立しなければならないかといえば、人生のさまざまな局面で迷い、悩み、苦しみ、困ったときに、そのような原理原則が、どの道を選び、どう行動すればいいのかという判断基準となるからです。

人生を歩んでいく途上では、至るところで決断や判断を下さなくてはいけない場面が出てきます。仕事や家庭、就職や結婚に至るあらゆる局面において、私たちは絶えず、さまざまな選択や決断を強いられることになります。生きることは、そういった判断の集積であり、決断の連続であるといってもいい。

すなわち、そのような判断を積み重ねた結果がいまの人生であり、これからどのような選択をしていくかが今後の人生を決めていくのです。したがって、その判断や選択の基準となる原理原則をもっているかどうか。それが、私たちの人生の様相をまったく異なったものにしてしまうのです。

指針なき選択は海図を持たない航海のようなものであり、哲学不在の行動は灯火もなしに暗い夜道を進むようなものです。哲学といってわかりにくければ、自分なりの人生観、倫理観、あるいは理念や道徳といいかえてもいい。そうしたものが、いわば生きる基軸となり、迷ったときに立ち返るべき原点として機能します。

現在のKDDIは、私が創業したDDI（第二電電）と、国際通信最大手のKDD、トヨタ系列のIDOの三社が合併して生まれたものです。二〇〇〇年の秋のことでした。この大同団結によって、NTTに対抗できる新たな通信事業者が発足したわけです。

当時、携帯電話の分野では、DDIとIDOは、同じ方式でありながら、全国のエリアを二分するかたちで事業を行っていました。そのままでは、この分野での巨人であるNTTドコモにはとうてい太刀打《たちう》ちできません。そうなると市場は競争原理が働かず、実質上NTTドコモの独占状態となって、サービス向上や料金低下というメリットが利用者に十分にもたらされない恐れがあります。

そこで、私は合併の提案を持ちかけた。ただ、合併するとなると「吸収合併」というかたちをとるか、「対等合併」でいくのか、その調整はきわめてむずかしい。過去にあった銀行の合併例などを見ても、互いに「対等」を主張するために、せっかく合併しても、いつまでも主導権争いが続くようなケースが多いのです。

私は考えた末に、一つの提案をしました。それは三社対等ではなく、DDI主導の合併にしてほしいということでした。むろんこれを、私は覇権主義や自社の便益優先でいったのではありません。合併後、新会社がスムーズに運営されるためには、三社のなかでいちばん業績もよく、経営基盤もしっかりしているＤＤＩが主導権を握るのがベストだと冷静に判断したからです。

事業の「原理原則」はどこにあるか。会社の私益やメンツにあるのではない。それは社会や人の役に立つことにある。利用者にすぐれた製品やサービスを提供することが企業経営の根幹であり、原理原則であるべきだ。

そうであれば、単に合併をしただけではその責務を果たせない。経営責任を明確にして、新しい会社をできるだけ早く軌道に乗せ、長期的にも安定した経営を行わなくては、市場に真の競争を喚起できないし、利用者や社会に利益をもたらすこともできない。

そうした見地から客観的に判断して、ＤＤＩがイニシアティブをとるのが最善であると結論を出したのです。そして、将来の日本の情報通信産業のあるべき姿まで含めて、私の考えを誠心誠意、相手に説きました。

さらに合併後には、ＩＤＯとＫＤＤの筆頭株主であったトヨタに、京セラよりもわずかに少ない程度の第二位の大株主になっていただく、というかたちを提案したのです。

そのような私たちの誠意と熱意が通じて、この合併は合意に至ることができました。その後、新会社のＫＤＤＩの躍進は多くの人が知るところです。

自分たちの利益ではなく他者の利益を第一義とする――その経営の原理原則を貫いたことが、成功への道をつないだのです。

世の風潮に惑わされず、原理原則を死守できるか

原理原則に基づいた哲学をしっかりと定めて、それに沿って生きることは、物事を成功へと導き、人生に大きな実りをもたらします。しかし、それはけっしておもしろおかしい楽な道ではありません。哲学に準じて生きるということは、おのれを律し、縛っていくということであり、むしろ苦しみを伴うことが多い。ときには「損をする」こともある苦難の道を行くことでもあります。

二つの道があって、どちらを選ぼうか迷ったときに、おのれの利益を離れ、たとえそれが困難に満ちたイバラの道であろうとも、「本来あるべき」道のほうを選ぶ――そういう愚直で、不要領な生き方をあえて選択することでもある。

ただ長い目で見れば、確固たる哲学に基づいて起こした行動は、けっして損にはならな

いものです。一時的には損に見えても、やがてかならず「利」となって戻ってくるし、大きく道を誤ることもありません。

たとえば日本経済はいまだにバブルの後遺症から抜け出せていませんが、当時、多くの企業がわれ先にと不動産の投機に血道を上げました。土地を所有し転売するだけで、その資産価値がどんどん上がっていく。その値上がりを見込んで銀行から巨額のお金を借り、それをまた不動産投資につぎ込む――こういうことを多くの企業がやっていたのです。

持っているだけで品物の価値が上がっていく。経済原則からいったら、おかしなことなのですが、そのような原則に反する行為が当たり前のように行われていました。しかしバブルがはじけるとともに、価値を生むはずの資産は一転して負の財産に変わり、多くの企業が不良債権を抱えることになりました。

いや、それはバブル熱が冷めたいまだから、いえることだろうというかもしれません。でもたしかな原理原則、哲学をもっていれば、どんな状況の中でも正しい判断ができたはずなのです。

京セラには、それまで営々と蓄積してきた多額の現預金がありましたから、それを不動産投資に回さないかという誘いをずいぶん受けました。なかには、私がその「うまみ」を理解していないかのように思ったのか、儲《もう》けの仕組みを懇切ていねいに教えてくださった銀行の人もいました。

しかし私は、土地を右から左へ動かすだけで多大な利益が発生するなんて、そんなうまい話があるはずがない。あるとすれば、それはあぶく銭であり浮利にすぎない。簡単に手に入るお金は簡単に逃げていくものだ。そう思っていたので、投資の話はみんな断ってしまいました。

「額に汗して自分で稼いだお金だけが、ほんとうの〝利益〟なのだ」

私にはそんなきわめて単純な信念がありました。それは、人間として正しいことを貫くという原理原則に基づいたものでした。ですから巨額の投資利益のことを聞いても、「欲張ってはならない」と自戒することはあっても、それに心を動かされることはなかったのです。

このように、損をしてでも守るべき哲学、苦を承知で引き受けられる覚悟、それが自分の中にあるかどうか。それこそが本物の生き方ができるかどうか、成功の果実を得ることができるかどうかの分水嶺《ぶんすいれい》になるのではないでしょうか。

知っているだけではダメ、貫いてこそ意味がある

ただ、そうはいってても人間はもともと弱い存在であり、よほど意識して自分を戒めていないと、つい欲望や誘惑に負けてしまう。これもまた事実です。

かなり以前のことですが、卑近な例として、こんなことがありました。京セラがある程度大きくなって、役員が仕事で外出する際に、社用車が運転手つきで使えるようになったころのことです。

ある役員が定時に帰ろうとしたところ、社用車が使えない。役員は遅くまで仕事をするだろうと考えた総務の担当者が、その日、忙しくて車を必要としていたある営業部長にその車を回していたのです。

それを知った役員は、営業部長ごときが会社の車を使うとは何事かとすごい剣幕で怒り出し、そのいきさつが私の耳にも入ってきました。そこで、私はその役員を呼んでこういいました。

「役員で偉いから車が使えるわけではない。重要な仕事に携わっている人間には移動手段をどうしようかなどと雑事に気を使わず、仕事に集中してもらうために社用車を用意して

あるのだ。よく考えてくれ。定時で帰る役員に、忙しく走り回っている部長を怒鳴る資格があるのか？」

役員に優先権があったとしても、それはあくまでも会社の車であって「自分の車」ではない。それが、原則であり道理です。しかし組織の中にあって、高い地位に上りつめると、その当たり前のことがなかなか見えなくなってくるのです。かくいう私にも、同じような経験がありました。

創業期、京セラの社用車はスクーターでした。しかも、二輪車ですから私は自分でそれを運転していました。そのうちスバル３６０という小型車を買うことができた。これも当初は自分で運転していたのですが、運転中もずっと仕事のこと、会社のことばかり考えていて危ないので、運転手を雇うことにしたのです。

やがて、もっと大きな車に買い替え、運転手つきで会社への行き帰りを送迎してもらうこともできるようになったころ。ある朝、車で家に迎えにきてもらった際に、妻も所用で出かけるということがありました。私は気軽に、ついでだから途中まで乗っていけと声をかけたところ、妻はそれはできませんと断ってきたのです。

「あなたの車なら乗せてももらいますが、それは会社の車でしょう。ついでだからといって社用車を私用で使ってはならないと、以前、あなた自身がおっしゃっていましたよ。公私のけじめは厳しくつけろって——ですから私は歩いていきます」

一本取られたかたちで、これは家内のいうことのほうが正しい。私はおおいに反省しました。

これらはささやかな例ですが、何事も「言うは易く行うは難《かた》し」で、実行していくのは容易なことではありません。それだけに原理原則は、それを強い意志で貫かなくては意味がないのです。

つまり、原理原則というものは正しさや強さの源泉である一方、絶えず戒めていないと、つい忘れがちなもろいものでもあります。だからこそ、いつも反省する心を忘れず、自分の行いを自省自戒すること。また、そのことさえも生きる原理原則に組み入れていくことが大切なのです。

考え方のベクトルが人生すべての方向を決める

私が現実に仕事や経営に携わるなかから学びとってきた、そのような真理や経験則、つまり、人間として守るべきシンプルな原理原則は、そのいずれもが、やさしい言葉で書かれた平凡なものですが、その平凡さ、単純さというものが「普遍性」に通底していると私は考えています。ここでは、ほんの一部にすぎませんが、そのような哲学や原理原則を紹介してみることにしましょう。

まず最初にあげたいのは、「人生の方程式」です。つまり、プロローグで紹介した「人生・仕事の結果＝考え方×熱意×能力」という方程式で表される法則です。この式のなかでもっとも重要なのは、「考え方」というファクターです。

くり返しになりますが、この「人生の方程式」は、人並みの能力しかもたなかった私が、人並み以上のことをなして、世のため人のためにわずかなりとも役立つためにはどうしたらいいかと考えた末に見いだした方程式であり、その後、実際に仕事をし、人生を歩むうえで、つねに自分の生き方のベースとしてきたものです。

そのポイントは掛け算である点にあります。たとえば、頭脳明晰《めいせき》で九〇点の能力をもつ人がいたとします。しかし、この人がその能力を鼻にかけて努力を怠り、三〇点の熱意しか発揮しなかったとすれば、その積は二七〇〇点にとどまります。

一方、頭の回転は人並みで六〇点くらいの能力しかもたない人が、「オレには才能がないから」と自覚して、そのぶんを努力でカバーしようと、九〇点を超えるような、あふれるほどの熱意をもって仕事に取り組んだとすれば、どうなるか。その積は五四〇〇点。前者の才あって熱なしの人物よりも、倍の仕事を成し遂げられる計算になります。

さらに、そこに「考え方」の点数が掛け合わされます。この考え方がもっとも重要なのは、それが方向性も表しているからです。つまり考え方には、いい考えもあれば悪い考えもある。プラスの方向に向かってもてる熱意や能力を発揮する生き方もあれば、マイナスの方向へ向けてその熱意や能力を使う人もいるのです。

したがって、この考え方という要素にだけはマイナス点も存在し、熱意や能力の点数が高くても、この考え方がマイナスであったら、掛け算の答え（人生や仕事の結果）もマイナスになってしまいます。才能に恵まれた人が情熱を傾けて、詐欺や窃盗などの犯罪という「仕事」に励んでも、そもそも考え方がマイナス方向に働いているので、けっしてよい結果は得られないということです。

このように、人生の方程式は掛け算で表されるがゆえに、まず考え方が正しい方向に発揮されなければなりません。さもなくば、どれほどすぐれた能力をもち、強い熱意を抱こうとも、それは宝の持ち腐れどころか、かえって社会に害をなすことにもなりかねないのです。

後年、福沢諭吉が講演で語った一節にふれて、それが、この私の「人生の方程式」の正しさを裏打ちしてくれていると思ったことがあります。それはこういう言葉です。

「思想の深遠なるは哲学者のごとく、心術の高尚正直なるは元禄《げんろく》武士のごとくにして、これに加うるに小俗吏の才をもってし、さらにこれに加うるに土百姓の身体をもってして、初めて実業社会の大人たるべし」

実業の社会で、立派な人物たりうるための必要条件を――ほぼその優先順位に従って――述べた言葉です。すなわち哲学者のような深い思考、武士のような清廉な心、小役人が持ち合わせるぐらいの才知、お百姓のような頑健な体。これらがそろって初めて、社会に役立つ「大人」たることができるというのです。

すなわち、福沢諭吉のいう深い思考と清廉な心は、私の人生方程式における「考え方」に相当し、また小賢《こざか》しいほどの才能は「能力」に、頑健な体はそれによって努力を怠らない「熱意」にそれぞれ該当するのではないか――そう意を強くして、私はあらためて人生における、考え方、熱意、能力の大切さを認識したのです。

自分の人生ドラマをどうプロデュースするか

「一日一日をど真剣に生きる」――これも単純なことですが、生き方の根幹をなすきわめて大切な原理原則の一つです。

剣術にたとえるなら道場の稽古《けいこ》といえど竹刀《しない》ではなく真剣で臨む。弓ならば満月の形にまでいっぱいに引き絞って、少しのたるみ、わずかなスキもない、張り詰めた緊張感の中で矢を放つ。つねに、そうした必死、本気、懸命な心がまえや態度で毎日の生活や仕事をこなしていく。そうしたとき、私たちは自らが描いたとおりの人生を生きることが可能になるのです。

人生とはドラマであり、私たち一人ひとりがその人生の主人公です。それだけでなく、そのドラマの監督、脚本、主演、すべてを自分自身でこなすことができる。また、そのように自作自演で生きていくほかはないのが、私たちの人生というものです。

ですから何より大切なことは、自分の人生ドラマをどのようにプロデュースしていくか。一生をかけて、どのような脚本を描き、主人公である自分がそのドラマを演じて（生きて）いくかということです。

真剣さや熱意に欠けた、怠惰で弛緩《しかん》した人生を過ごすほど、もったいないことはありません。人生というドラマを中身の濃い、充実したものにするためには、一日一日、一瞬一瞬を「ど」がつくほど真剣な態度で生きていくことが必要になってくるのです。

いつも燃えるような意欲や情熱をもって、その場そのとき、すべてのことに「ど真剣」に向かい合って生きていくこと。その積み重ねが私たち人間の価値となって、人生のドラマを実り多い、充実したものにするのです。

そのど真剣な熱意がなければ、いかに能力に恵まれ、正しい考え方をしようとも、人生を実り多きものにすることはできません。いくらすぐれた緻密《ちみつ》な脚本をつくろうとも、その筋書きを現実のものとするためには、「ど真剣」という熱が必要なのです。

何事に対してもど真剣に向き合い、ぶつかっていく――これは「自らを追い込む」ということでもあります。それはすなわち、困難なことであっても、そこから逃げずに、真正面から愚直に取り組む姿勢をもつ、ということ。

むずかしいが、どうしても解決を要する問題に直面したとき、その困難さから目をそらして逃げてしまうか、正面切ってそれに立ち向かうことができるか。そこが大きな成功を手にすることができるか否かの分かれ道なのです。

どんなことがあっても成功を勝ち取るのだ、という切迫した気持ちを持ち合わせていると――加えて物事を素直に見られる謙虚な姿勢を忘れなければ――ふだんは見過ごしてしまうような、ごく小さな解決への糸口を見つけることにつながるものです。

それを私は「神のささやく啓示」と表現しています。あたかもそれが、必死に努力を重ねて苦しみもだえている人に神さえもが同情し、そんなに一生懸命やっているなら助けてあげたいと、答えを与えてくれるように感じるからです。ですから、私はよく「神が手を差し伸べたくなるぐらいにまでがんばれ」と社員に檄《げき》を飛ばしたものです。

真正面から困難に立ち向かい、自分を限界に追い込む。そういう心意気が、不可能だと思えた状況を打破し、クリエイティブな成果を生み出していくのです。その積み重ねこそが人生というドラマのシナリオに生命を吹き込み、現実のものとするのです。

現場で汗をかかないと何事も身につかない

人生では、「知識より体得を重視する」ということも大切な原理原則です。これは、いいかえれば「知っている」ことと「できる」ことはかならずしもイコールではない。知っているだけで、できるつもりになってはいけないという戒めでもあります。

セラミックスの合成にしても、この原料とこの原料を混合して何度で焼けば、このようなセラミックスができるということは本を読めばわかります。しかし、その理論どおりにやってみても思いどおりのものはできません。現場で何度も経験を積むうちにしだいに真髄が把握できる。知識に経験が加わって初めて、物事は「できる」ようになるのです。それまでは単に「知っている」にすぎない。

情報社会となり知識偏重の時代となって、「知っていればできる」と思う人もふえてきたようですが、それは大きな間違いです。「できる」と「知っている」の間には、深くて大きな溝がある。それを埋めてくれるのが、現場での経験なのです。

会社をつくって間もないころ、私はある経営セミナーに参加しました。講師のなかに、本田技研工業を創業された本田宗一郎さんの名前があり、高名な経営者の話を一度聞いてみたいと思ったからでした。ある温泉旅館を借りて二泊三日で行われるもので、参加費用は数万円。当時は大金でした。私はとにかく本田さんの顔を見、声を聞きたいという思いが強く、周囲の反対を押し切ってなかば強引に参加しました。

当日、参加者は温泉に入って浴衣《ゆかた》に着替え、大広間に座って、本田さんが来るのを待っていました。しばらくして本田さんが姿を現しましたが、浜松の工場から直行してきたような油のしみた作業着姿でした。そして開口一番、こう一喝したのです。

「みなさんは、いったいここへ何しにきたのか。経営の勉強をしにきたらしいが、そんなことをするひまがあるなら、一刻も早く会社へ帰って仕事をしなさい。温泉に入って、飲み食いしながら経営が学べるわけがない。それが証拠に、私はだれからも経営について教わっていない。そんな男でも会社が経営できるのだから、やることは一つ。さっさと会社に戻って仕事に励みなさい」

と、あの歯切れのいい口調でクソミソにいい、おまけに、「こんな高い参加費払ってくるバカがどこにいる」とまで毒づかれました。こちらはグウの音も出ない。まったく本田さんのいうとおりなのですから。

そんな姿を見て、私は本田さんによりいっそう魅《み》せられるとともに、よし、オレも早く会社へ帰って仕事にとりかかろうと思ったものでした。

本田さんはつまり、畳水練のバカバカしさを私たちに教えていたのです。畳の上で泳ぎを習ったところで、泳げるようにはならない。それよりもいきなり水に飛び込んで、無我夢中で手足を動かせ。現場で自ら汗をかかないかぎり経営なんてものはできやしないのだ

――本田さん自身がそうであったように、偉大な仕事をなしうる知恵は、経験を積むことによってしか得られません。自らが体を張って取り組んだ実体験こそが、もっとも貴い財産となるということなのです。

ただいま、このときを必死懸命に生きる

あふれるような熱意をもって、ど真剣に懸命にいまを生きること。目の前のことに没頭して瞬間瞬間を余念なく充実させること。それはまた明日や将来を切り開くことにも通じていきます。

これをいうと、驚かれる方が少なくないのですが、私は長期の経営計画というものを立てたことがありません。もちろん、経営理論に基づいた長期の経営戦略などの必要性や重要性は、承知しているつもりです。しかし、今日を生きることなしに、明日はやってきません。明日もわからないのに、五年先、十年先のことがはたして見通せるでしょうか。

まずは、今日という一日を一生懸命に過ごすこと、それが大切だと思うのです。どんなに壮大な目標を掲げてみても、日々の地味な仕事に真剣に向き合い、実績を積み重ねてい

かなければ成功はありえません。偉大な成果は堅実な努力の集積にほかならないのです。

先の功をいたずらに焦らず、今日一日を懸命に、真剣に生きることによって、おのずと明日も見えてくる。そうした充実した一日の連続が、五年たち、十年たつうちに大きな成果に結実する——私はそう考え、肝に銘じながら、これまで経営を行ってきました。その結果、「今日を完全に生きれば明日が見える」ことを、人生の真理として体得することができたのです。

そもそも私たちの生命、私たちの人生は、価値ある偉大なものです。その価値ある人生を、ただ無為徒然に過ごすのはもったいないことである以上に、宇宙の意に反した生き方でもあります。

天地自然は、この宇宙で必要であるからこそ、私たちを存在させています。だれ一人、何一つ偶然に生をうけたものはなく、したがってムダなものはこの世にはいっさいありません。

大宇宙から見れば、ひとりの人間の存在などほんとうにちっぽけなものかもしれません。しかし、どれほど小さなものであろうと、われわれはみんな必然性があってこの宇宙に存在している。どのように小さな、とるに足らない生命といえども、また、無生物であろうとも、宇宙が「価値がある」と認めているからこそ、存在しているのです。

いま、このときを懸命に生きる――自然の小さな営みも、その大切さを無言のうちに私たちに教えています。たとえば北極圏のツンドラ地帯では、短い夏の間に多くの植物がいっせいに芽吹き、できるだけ多くの花を咲かせ、種をつくって、ごく短い生を精いっぱい、濃密に生きようとします。

そうすることで長い冬に備え、次世代へ自分たちの生命を託そうとしているのでしょう。まさに雑念も余念もなく、ただひたすら「いま」を生ききろうとしているのです。

アフリカの乾いた砂漠でも、年に一度か二度雨が降るといいます。その慈雨がもたらされるやいなや、やはりすぐに植物が芽を出して、急いで花を咲かせる。そして一〜二週間というほんとうに短い間に種を宿して、次の降雨のときまで厳しい熱砂に耐えられるように、次世代に生を引き継いでいきます。

まさに自然界では、すべての生物が与えられた時間、限られた一瞬一瞬を、精いっぱい、ど真剣に生きているのです。「いま」を必死懸命に生きることで、小さな生命を明日へとつなげている。であれば私たち人間も草花に負けず、一日一日をないがしろにすることなく、ど真剣に生きていかなくてはなりません。

それが私たちをこの世に生み出し、その生を価値あるものとしてくれた宇宙との約束ごとでしょうし、人生というドラマを思いどおりに充実して生きるための必要条件でもあると思います。

「好き」であればこそ「燃える」人間になれる

物事をなすには、自ら燃えることができる「自燃性」の人間でなくてはなりません。私は、このことを「自ら燃える」と表現しています。

ものには三つのタイプがあります。

①火を近づけると燃え上がる可燃性のもの。
②火を近づけても燃えない不燃性のもの。
③自分で勝手に燃え上がる自燃性のもの。

人間のタイプも同じで、周囲から何もいわれなくても、自らカッカと燃え上がる人間がいる一方で、まわりからエネルギーを与えられても、ニヒルというかクールというか、さめきった態度を崩さず、少しも燃え上がらない不燃性の人間もいます。能力はもっているのに、熱意や情熱に乏しい人といってもいいでしょう。こういうタイプはせっかくの能力を活《い》かせずに終わることが多いものです。

組織的に見ても、不燃性の人間は好ましいものではありません。自分だけが氷みたいに冷たいだけならともかく、ときにその冷たさが周囲の熱まで奪ってしまうことがあるからです。ですから私は、よく部下にいったものです。

「不燃性の人間は、会社にいてもらわなくてけっこうだ。キミたちは、自ら燃える自燃性の人間であってほしい。少なくとも、燃えている人間が近づけば、いっしょに燃え上がってくれる可燃性の人間であってもらいたい――」

物事をなすのは、自ら燃え上がり、さらに、そのエネルギーを周囲にも分け与えられる人間なのです。けっして、他人からいわれて仕事をする、命令を待って初めて動き出すという人ではありません。いわれる前に自分から率先してやりはじめ、周囲の人間の模範となる。そういう能動性や積極性に富んでいる人なのです。

では、どうしたら自燃性の人間になれるのでしょうか。自ら燃える体質を獲得するにはどうしたらいいか。その最大にして最良の方法は、「仕事を好きになる」ことです。私はそのことを次のように説いています。

「仕事をやり遂げるためにはたいへんなエネルギーが必要です。そしてそのエネルギーは、自分自身を励まし、燃え上がらせることで起こってくるのです。自分が燃える一番よい方法は、仕事を好きになることです。どんな仕事であっても、それに全力で打ち込んでやり遂げれば、大きな達成感と自信が生まれ、また次の目標へ挑戦する意欲が生まれてきます。そのくり返しの中で、さらに仕事が好きになります。そうなれば、どんな努力も苦にならなくなり、すばらしい成果を上げることができるのです」

つまり、「好き」こそが最大のモチベーションであり、意欲も努力も、ひいては成功への道筋も、みんな「好き」であることがその母体になるということです。

「ほれて通えば千里も一里」「好きこそものの上手なれ」といいならわされてきたとおり、好きであれば、自然に意欲もわくし努力もするので、最短距離で上達していく。人から見ればたいへんな苦労も、本人には苦どころか、楽しみとなるのです。

私は、仕事仕事でろくに家にもいないので、家内などは、「おたくのご主人はいったいいつ帰ってこられるのか」と近所の方から心配されたり、田舎《いなか》の両親からも「そんなに働いたら体を壊してしまいますよ」という忠告の手紙が届いたことがありました。

しかし当の本人は案外平気で、好きでやっていることだから、つらくもなければ、さほど疲れも感じていませんでした。

実際にそこまで仕事を好きにならなくては、大きな成果を残すことはできないのです。どんな分野でも、成功する人というのは自分のやっていることにほれている人です。仕事をとことん好きになれ――それが仕事を通して人生を豊かなものにしていく唯一の方法といえるのです。

自分に打ち勝ち前に進め、人生は大きく変わる

では、自分の仕事がどうしても好きになれないという人はどうすればよいか。とにかくまず一生懸命、一心不乱に打ち込んでみることです。

そうすることによって、苦しみの中から喜びがにじみ出るように生まれてくるものです。「好き」と「打ち込む」はコインの表と裏のようなもので、その因果関係は循環しています。好きだから仕事に打ち込めるし、打ち込むうちに好きになってくるものです。

ですから、最初は多少無理をしてでもいいから、まず「自分はすばらしい仕事をしているのだ」「なんと恵まれた職業についているのだろう」と心の中でくり返し自分にいい聞

かせてみる。すると、仕事に対する見方もおのずと変わってくるものです。

どんな仕事でも、一生懸命打ち込めばいい成果が生まれ、そこからしだいに楽しさ、おもしろさが生じてくる。おもしろくなれば、さらに意欲がわき、またいい成果を生む。その好循環のうちに、いつしか仕事を好きになっている自分に気づくはずです。

すでに述べたことですが、私が大学を卒業して就職した会社は、いつつぶれてもおかしくないほどのオンボロ会社でした。そのうちに同僚たちは次々に辞めていき、私一人が残された。そこで私はしかたがなく、「とにかくまず一生懸命に目の前の仕事に取り組もう」と思うようにしました。そうしたとたん、不思議なことに次々とよい研究成果を上げることができるようになりました。当然、ますます研究がおもしろくなり、さらに熱を上げて打ち込むようになるという好循環ができてきたのです。

仕事がいやでしかたがないと感じても、もう少しがんばってみる。腹をくくって前向きに取り組んでみる。それが人生を大きく変えることにつながるのです。

そのときに大切なことは「自分に打ち勝つ」ことだといえるでしょう。つまり利己的な欲望を抑えること、自分を甘やかそうという心をいさめること。それができなければ何事も成し遂げることはできないし、もてる能力を最大限に発揮することもできません。

たとえば、まじめによく勉強して八〇点をとる人間がいる。それに対して、頭の回転や要領がよく、勉強しなくても六〇点をとる人間がいる。後者は前者に対して、「あいつはガリ勉だから、できて当然だ。オレが本気さえ出せば、あいつ以上の点がとれる」というものです。

こういう人は社会へ出てからも、努力を重ねて大成した人をとらえて「彼は学生時代はたいしたことがなかった。オレのほうが数段できがよかったんだ」と相手をくさしながら、自分の能力を誇ったりする。

潜在的な力だけをとれば、そのとおりなのかもしれない。しかし、物事に取り組む姿勢、熱意に雲泥の差があり、それが「人生の方程式」に従って、彼我《ひが》の人生を逆転させるという結果を招いているのです。

ガリ勉とは見たい映画やテレビも見ず、安易な方向へ流れようとする自分に打ち勝って、困難に正面から取り組んでいる人のことです。社会で成功を収めた人も同様で、遊びたい気持ちを抑えて、仕事に励んだ結果であるにちがいありません。一方、そのような人たちを小バカにする人間は結局、自分の「逃げ」や怠惰を棚に上げ、人が真正面から取り組んだことを、斜めから眺めているにすぎない。

人の真の能力とは、そうした物事に愚直に取り組む克己心まで含むものかもしれません。いくら能力があろうが、自分に負けて安逸に流れ、正面からの努力を惜しむのは、つまりは「自分のもって生まれた才を活かす」という意味での能力に欠けているといえるのです。人生という長く大きな舞台ですばらしいドラマを演じ、大きな成果を上げるための能力とは、単に脳細胞のシワの数だけをいうのではありません。どんなときでも愚直なまでに真剣に物事に取り組み、真正面から困難にぶち当たっていく。それが、成功するための唯一の方法であり、私たちが日々心がけるべき原理原則といえます。

まじめ、ど真剣、懸命に仕事をする——こういってしまうと平凡に聞こえるかもしれません。しかし、その平凡な言葉にこそ、人生の真理は隠されているのです。

複雑な問題も解きほぐせばクリアに見えてくる

京セラでは、社員同士、各部門間で「ああでもない」「いや、こうあるべきだ」などと侃々諤々《かんかんがくがく》、ケンカさながら本気でやりあうこともたびたびです。たとえば新製品の納期や価格などについて、製造部門がAだといえば、営業部門がBだと反論する。

私がまだ社長を務めていたころは、異論反論が続出して、どうしても結論が出ないとなると、「それなら社長のところへ行こうじゃないか」と、最終決裁が私のところに持ち込まれてくることが多かったものです。そこで私が両者の言い分を聞き、こうあるべきだ、こうしたほうがいいと結論を出すと、そうですか、そうですねとみんな納得して、それまで口角泡を飛ばしてやりあっていたのが嘘のように、すっきりした顔つきで帰っていくのです。

一番偉い立場にある人間の言だからというのではありません。しがらみや利害を離れた視点で冷静に問題を解きほぐしていくと、トラブルの原因は実はきわめてシンプルなことであることが多く、それを私が指摘し、解決策を示したからなのです。

たとえば、部門間でもめごとがあり複雑怪奇な様相を呈している場合も、もつれた糸をたぐるように解きほぐしていくと、その原因はたとえば必要な連絡を怠ったとか、たったひと言の感謝の言葉が足りなかったなど、単純で瑣末《さまつ》な——そして何よりも利己的な——理由によることが多いもの。そのようなことをふまえたうえで、人間として何が正しいのかという本質に立ち返って結論を出していくので、私の判断が結果として「大岡裁き」になる。

的確で公正な判断を下すためには、何よりもクリーンな目でものを見ることが必要です。そして瑣末な枝葉にとらわれず、問題の「根っこ」にまっすぐ目を向けてみること。そのような目で眺めてみれば、会社の中でのトラブルをはじめ、大きくは国際間の問題から、小さくは家庭内のもめごとに至るまで、当事者がそれぞれの思惑を持ち込んでこねくり回し、理屈に理屈が重なって、複雑怪奇な問題へと仕立ててあげてしまうことが、いかに多いかがわかります。

ですから、込み入って複雑そうに見える問題こそ、原点に立ち返って単純な原理原則に従って判断することが大切。さじを投げたくなるようなむずかしいことに直面したら、素直な目と単純明快な原理に基づいて、事の是非、善悪を判断すればいいのです。

稲盛財団の副理事長をお願いしている、世界的に有名な数学者の広中平祐先生は、「複雑な現象に見えるものは、実は単純なものの投影にすぎない」と卓見を述べておられます。先生が、それまでだれも解けなかった難解な数学の命題を解いたときのこと。ふつう、数学など自然科学では問題を要素分解することによって解を求めます。しかし先生はこのとき、逆に、次元を一つ高くすることによって解を見つけたといいます。

つまり、二次元の問題を三次元の観点から眺めることによって、単純明快な解答を導き出したのですが、このことを先生は、私たちのような素人にもわかりやすい比喩《ひゆ》を使って説明してくれています。

「ここに信号のない平面交差の十字路があります。信号がないために四方から車が流れ込んで、進むも退くもままならない大混乱が起きています。このままでは、この混乱を解決することができません。しかし、それは平面交差という二次元の世界の中で解を見つけようとしているからです。ここに『高さ』というファクターを加える。すなわち三次元の視点を持ち込むと、どうなるでしょうか」

「つまり、この十字路は平面交差でなく立体交差しているとすれば――そう、信号がなくても、車はスムーズに流れることになります。私の発想もそういうことでした。いっけん複雑に見える現象も、単純な構造の投影にすぎないことが多い。そこで視点を変えて、あるいは視点の次元を一つ上げて問題を見つめ直したとき、その答えが実に明快に導き出されてきたわけです」

広中先生がおっしゃっているように、物事を単純化して、本質を直截《ちょくせつ》にとらえる「次元の高い目」をもつべきです。それは、私心や利己、利害や執着を離れた、公明正大で利他的な心によってもたらされるものなのです。

国際問題、国家間の摩擦も単純に発想してみる

以前、従軍慰安婦問題や南京《なんきん》虐殺問題で日本と中国が不協和音を発していたころ、ある座談会で、日本は中国に謝罪をすべきか否かという点に話が及びました。私が詫《わ》びるべきだというと、同席していた大学の先生方は驚いた顔をされました。

一つの国家が他の国家に謝罪を行うということは、よほどのことがないかぎりありえないし、してはならないことでもある。国家としての権威を失うことになるし、国際法上も不利益を被るからというのがその理由です。

個人の感情と一国の政治は別に論じるべきだというのは私にも理解できます。しかし、それでもなお、かつての日本がかの国を侵略して、その国土を土足で踏みにじったのは歴史的な事実なのだから、詫びるべきは詫びたほうがいいと、私はいまでも思っています。

迷惑をかけた相手には謝る——それは常識や理屈を超えた、あるいは利益や体面以前の、人間として行うべき普遍的な「正しさ」です。守るべき当たり前の規範であり、単純だけれども、けっしてゆるがせにはできない原理原則なのです。ですから、たとえ謝ることによって失われるものがあろうとも、通すべき筋は通さなくてはならない。

そうした真摯《しんし》で誠実な態度はかならず相手に通じるはずです。逆にいえば、日本の謝罪が中国や韓国になかなか通じないのは、詫びるべきを素直に詫びず、その謝罪に体裁や駆け引きが混じっているからではないでしょうか。そしてそれもまた、本来は単純なことを複雑に考えることによって、かえって問題をこじらせていることの一つの例証のように、私の目には見えます。

このように、国際紛争や経済摩擦の問題なども、原点に立ち返って考えれば、解決の糸口が見えてくるはずです。こんがらがった問題こそ、単純な原理と素直な発想に基づいて判断、行動する。それが複雑な〝影〟に惑わされず、視野狭窄《きょうさく》に陥ることもなく、事の本質や真理にまっすぐたどり着く最良の方法であると思います。

たとえば国家間の経済摩擦の問題にしても、その要因となる貿易収支のアンバランスが発生するのは、「国境」があるからにほかなりません。それぞれの国が独自の政策を行い、個別の通貨を持っているから、国ごとに貿易黒字や貿易赤字が生じて経済摩擦が起こってしまうのです。

これだけ経済がグローバル化して、ヒトもモノも国境を越えて自由に行き交っているのに、その国境に区切られた国ごとの政策や通貨の違いが壁となって、経済の格差や摩擦が生まれてしまう。それならば国境をなくし、世界を一つの国のようにして政策を一元化し、通貨も統合してしまえば、問題は解決に向かうのではないか――。

そんなシンプルな原理と発想に基づいて、以前、私は「世界連邦政府構想」を提案したことがあります。つまり世界中の国家、民族が国境を廃し、一つの共同体を形成して、平和と調和の中で発展していく。その理想を実現するために、世界のボーダーレス化を目的とした国際機関を設立して、さまざまな政策を実行していこうという提案です。

いってみればボーダーレス化する経済に合わせて、政治的にも「国境のない世界をつくろう」という大胆な構想ですが、もちろんその実現のために果たすべき課題は少なくありません。しかし、これはまんざら理想論でもなければ、単なる絵空事でもないと思います。

なぜなら先進国の間では、すでに経済政策の実行にあたって政策協調を行わざるをえなくなっており、事実上、国の主権は少しずつ制限される方向にあるからです。またEU（欧州連合）の誕生は、この世界連邦政府の先駆的な出来事であり、そこではヨーロッパが一個の共同体となり、各国バラバラであった政治・経済の政策も統合される方向にあります。ユーロという統一通貨が生まれたのは、その象徴といえましょう。であれば、こうした動きを世界規模にまで広げることは、けっして不可能ではないはずです。

国の概念をなくしてしまったら、それぞれの国がもっていた歴史や文化も消滅してしまうのではないかと非難する人もいるでしょう。しかし、人類はその国家の歴史以上に長い歩みを経てきており、これからもまた長い年月を生き延びていかなくてはなりません。つまり、まず人間があり、次に国があるのであって、その逆ではありえないのです。それに、国境をなくしたからといって、文化や歴史が消えてなくなるわけでもありません。

ですから、おめでたい人間の言い草だと批判されようと、このような人間、また世界の「あるべき姿」をベースにとらえた理念と行動が、これからの世界のありようを考えるうえでも必要なのではないかと思います。

外国との交渉は常識より「リーズナブル」

人生のあらゆる場面において原理原則に従って発想、行動することの重要性を述べてきましたが、それは外国人とつきあうときや外国企業と交渉する際にも、きわめて有効になるはずです。彼らは、人生や仕事に関してしっかりとした哲学をもっていることが多く、互いの原理原則をつき合わせて、議論を戦わせることが可能になるからです。

まだ、京セラが名もない中小企業であったころから、私は自社の製品を使ってもらおうと外国の企業に積極的に働きかけていました。当時の日本はとりわけアメリカから技術導入を行っているケースが多かったので、アメリカのメーカーにわれわれの製品が認められ、使用されれば、その評価を追い風にして、国内でも採用してもらえるだろうという意図があったのです。

私自身も、英語もろくに話せないのに、無謀にもアメリカに渡って、直接、向こうの企業に商談を持ちかけました。最初の渡米のときには、前日に、わざわざ公団住宅に住んでいた友人を訪ねて、当時はまだ珍しかった洋式トイレの使い方を教えてもらったのを思い出します。洋行体験自体がきわめて希少な、一ドル＝三百六十円の時代のことです。

しかし一か月ほどの滞在期間中、いくら目当ての企業を回って売り込みをかけても、商談がまとまるどころか門前払いの連続です。慣れない土地で、慣れない文化・習慣にとまどいながら、足を棒にし、額に汗しても、得られるのは「ノー」の返事と徒労感ばかり。このときの苦労と辛酸はいまでも記憶に鮮明です。それでも不退転の決意を胸に粘り強く交渉を重ねた結果、しだいに成果が上がりはじめ、少しずつ海外との取引もふえていきました。

その過程で気づいたのは、外国、とりわけアメリカでは、物事を判断するのに「リーズナブル（正当である）」という言葉がよく出てくることでした。しかも、その正当性や合理性のものさしとなっているのは、社会的な慣習や常識ではなく、彼ら自身がもっている原理原則や価値観でした。

つまり彼らは、自らの信念に根ざした確たる哲学、判断基準を確立していたのです。それは私にとっても、非常に新鮮でエキサイティングな体験でした。

この背景には彼我の文化の相違があるようです。その端的な例が法体系の違いです。日本の法律は、ドイツのそれをモデルにしているため、基本的に成文法です。つまり条文をもとに判断を下すために、教条的になりやすい欠点がある。それに対してアメリカは判例法です。つまり条文にはそれほどとらわれることなく、それぞれのケースに合わせて、当事者が自らの良識やルールに照らして、それが正当かどうかを判断する傾向が強い。

そういう文化をもつ国では、私のように原理原則を明確にする思考法のほうが、むしろ適応性に富んでおり、有効でもありました。つまり私が、原理原則に照らし合わせて正当だと判断し、主張したことに対して、彼らが「たしかにおまえのいうことはリーズナブルだ」と納得すれば、前例とか企業の大小などにはとらわれず、すばやく意思決定してくれる。そのために非常にスピーディに交渉を進めることができたのです。

グローバル化が進み、島国ニッポンも国際社会の中で生きていかなくてはなりません。仕事だけでなく、日常生活においても、外国人とつきあい、ときには「渡り合わなくてはならない」場面も出てくるかもしれない。しかし、そういうときでもへつらったり、おもねる必要はありません。

むしろ、道理に照らして正当であると思ったことは堂々と主張したほうがよい。そうすれば、もともとロジカルな文化をもつ欧米の人たちは、その正当性を十二分に理解、尊重してくれるはずです。

判断の基準はつねに、自分の胸に手を当てて、「人間として正しいかどうか」におくべきなのです。なぜなら、それは国境を超えた普遍性を有するため、多少の文化的な衝突はあっても、根っこのところでは、かならず彼らも理解してくれるからです。

サンディエゴにある京セラグループの北米統括会社を経営するアメリカ人は、京セラの社内報の中で次のような発言をしています。

「国家や民族によって文化に違いがあります。しかしビジネスをやっていくうえでの哲学や、人生を生きていくうえでの基本原則は結局同じものです。たとえば、仕事で成果を出すように努力すること、また社会のために善《よ》きことをしたいと考えること。それらはどの文化であっても、どの宗教であっても真理であり、普遍的であるはずです」

私のいいたいことを代弁してくれている言葉です。すなわちどの国であろうと、経営をしていくには判断基準となる普遍的な哲学が必要であること。それは普遍的であるほど有効であり、そのためには「人間として正しい」倫理観や道徳観に根ざしたものであること。このことに国境はありません。人間としての原理原則というものは、国の違いや時代の新旧を超えた、人類すべてに共通するものなのです。

第3章

心を磨き、高める

日本人はなぜその「美しい心」を失ってしまったか

このごろの日本人が失ってしまった美徳の一つに「謙虚さ」があるでしょう。つねに控えめに頭を低くし、手柄は人に譲って、得意のときこそおのれを抑制して淡然と振る舞う。そちらこそお先にどうぞと互いに譲りあう、つつましい心。

生きていくのに、オレが、私が、という自己主張が必要なこともわかりますが、私たちがいま、謙虚さに代表される「美しい心」を忘れつつあるのは、この国の社会にとって大きな損失です。そのことがこの国を住みにくくしている要因の一つであるように思えるのは私だけではないはずです。

たしかに謙虚さをいつも失わないでいることは凡人には至難の業です。かくいう私も、ときとして驕《おご》り高ぶる心が頭をもたげないわけではありません。

ファインセラミックスというほとんど未開拓の分野で、多くの新技術や新製品を開発し、京セラという会社を驚くほどのスピードで成長させることができた。同じようにKDDIも驚異的な発展を遂げてきた。まわりの人たちが口々に称賛の言葉を投げかけてくれ、チヤホヤしてくれる。たとえば会合などでも上座をすすめられ、スピーチを求められるのが当たり前のようになってくる。

　すると、絶えず自分を戒めているつもりでありながら、あれだけ努力し、実績も上げてきたのだから、これくらいに扱われて当然だという慢心が心の隅に顔を出してくるのです。そんな有頂天の様に、何かの拍子にフッと気づいて、いかんいかん、これではならじと内省自戒する。仏門の一員に加えてもらった身でありながら、私などもいまだにこういうことをくり返しています。

　考えてみれば、私の有している能力、私が果たしている役割、それが私だけの所有物である必然性はどこにもありません。他の人がもっていたとしても、何の不思議も不都合もない。また、これまで私がなしてきたこともみんな、他の人でも代行できたことでしょう。それらはすべて、たまたま私に与えられたものであり、私はそれを磨く努力をしたにすぎない。どんな人間の、どんな才能も天からの授かり物、いや借り物でしかないと、私は思っています。

　したがって、どのようにすぐれた能力も、それが生み出した成果も、私に属しながら私のものではありません。才能や手柄を私有、独占することなく、それを人様や社会のために使う。つまり、おのれの才を「公」に向けて使うことを第一義とし、「私」のために使うのは第二義とする。私は、謙虚という美徳の本質はそこにあると考えています。

ところが、その謙虚の精神が薄れつつあるのと並行するように、近ごろおのれの才を私物化する人がふえてきています。とくに人の上に立ち、他の手本となるべきリーダーにその傾向が目立ちます。伝統も実績もある大手企業において、組織の規範や倫理のタガがすっかり緩んでしまったように不祥事が続発したのは、まだ記憶に新しいところです。また国民から公共行政を託され、その給料も国民の血税から出ているはずの官僚にも、自らの特権的立場を利用して私腹を肥やす輩《やから》がいます。

大手企業のトップ、幹部、官僚、みんな人並みすぐれた能力に恵まれた人たちばかりです。それなのに、なぜ不祥事や汚職が後を絶たないのか。それは、才を私物化してしまったからにほかなりません。自分に備わる能力を天からの借り物ではなく私有物と考えて、公の利でなく、私利私欲のために発揮したからなのです。

リーダーには才よりも徳が求められる

すでに幾度となく述べてきましたが、私が考えた「人生の方程式」は、考え方、熱意、能力という三つの要素の乗数で表されます。

不祥事を起こしたエリートたちはみな、人並みすぐれた能力をもっていたはずです。熱意や使命感もあり、これまた人並み以上の努力もしたにちがいありません。しかし肝心の「考え方」に問題があったため、せっかくの能力や熱意も正しい方向へ発揮されなかった。そのために誤った行為を犯し、社会に害をなしたばかりか、自らの首を絞めるようなことにもなってしまったわけです。

ここでいう考え方とは、生きる姿勢、つまり哲学や思想、倫理観などのことであり、それらをすべて包含した「人格」のことでもあります。謙虚という徳もその一つに数えられるでしょう。その人格がゆがんでいたり、邪《よこしま》なものであれば、いくら能力や熱意に恵まれようが――いや恵まれていればいるほど――もたらされる結果の「負」の値は大きくなってしまうのです。

また、現在の日本社会についていえば、リーダー個人の資質というよりも、リーダーの選び方それ自体に問題があると考えられます。というのも私たちは、組織のリーダーというものを、人格よりも才覚や能力を基準に選ぶことをくり返してきたからです。人間性よりも能力、それも試験の結果でしか表せない学業を重視して、人材配置を行ってきたといってもいい。公務員試験の成績のいい人間が役所の要職やエリートコースに就くことなどは、その代表的な例といえます。

そこには、戦後の日本を覆い尽くしてきた経済成長至上主義が背景にあるのでしょう。人格というあいまいなものより、才覚という、成果に直結しやすい要素を重視して、自分たちのリーダーを選ぶ傾向が強かったのです。

たとえば選挙にしても、地元への利益誘導型の政治家を「おらが先生」として選出する風潮がまだまだ根強く、いってみれば、才あれども徳に乏しき人間を自分たちの長としていただきたがる。そんな傾向やメンタリティを、私たちはなかなか払拭《ふっしょく》できずにいます。

かつての日本人は、もう少し、遠回りだけれども「大きなものの考え方」をしていたものです。わが敬愛する西郷隆盛も、「徳高き者には高き位を、功績多き者には報奨を」と述べています。つまり功績にはお金で報いればいい、人格の高潔な者こそ高い地位に据えよといっているのです。百年以上も前の言ですが少しも古びていない、今日にも十分通用する普遍的な考え方といえます。

道徳の崩壊、モラルの喪失がいわれる昨今こそ、こうした言葉の意味を肝に銘じるべきでしょう。人の上に立つ者には才覚よりも人格が問われるのです。人並みはずれた才覚の持ち主であればあるほど、その才におぼれないよう、つまり、余人にはない力が誤った方向へ使われないようコントロールするものが必要になる。

それが徳であり、人格なのです。徳というと、そこに復古的な響きを感じる人もいるかもしれませんが、人格の陶冶《とうや》に古いも新しいもないはずです。

同じような趣旨のことを、中国は明代《みん》の思想家、呂新吾《ろしんご》がその著書『呻吟語《しんぎんご》』の中で明確に説いています。すなわち、

「深沈厚重なるは、これ第一等の資質。磊落《らいらく》豪雄なるは、これ第二等の資質。聡明《そうめい》才弁なるは、これ第三等の資質」

この三つの資質はそれぞれ順に、人格、勇気、能力ともいいかえられるでしょう。つまり呂新吾は、人の上に立つ者はその三つの要素を兼ね備えていることが望ましいが、もしそこに序列をつけるなら、一が人格、二が勇気、三が能力であると述べているのです。

つねに内省せよ、人格を磨くことを忘れるな

戦後の日本は、第三等の聡明才弁型の人物をリーダーとして多く登用してきました。才

に長《た》け、弁も立ち、知に富んだ実利実用型の人物が重用され、人格的な重みを有する第一等の人物は軽視されないまでも、脇《わき》に置かれてきたのです。

このように、リーダーの器たりえない人物——才の他には内的な規範や倫理基準に乏しい、人間的な厚みや深みに欠けた人物——がトップに据えられた。近年多発した組織の不祥事、もっと広くいえば、いまの社会に巣くう道徳的退廃も、どうもこのことが根幹にあると私には思われてなりません。

不祥事を起こした組織のリーダーが記者会見を行うことがありますが、その応対に長としての人格の重み、厚みを感じることはまれです。「あってはならないこと」「再発防止に努めたい」などとひととおりのことは口にはしますが、用意された原稿を棒読みしているため、教条的な響きを感じるばかりで、責任者としての真摯《しんし》さや誠実さはほとんど伝わってきません。

うろたえやごまかし、責任逃れ、そういうものを感じることはあっても、事態にきちんと対峙《たいじ》し、自らの責任を認め、説明すべきは説明し、正すべきは正していこうとする重量感ある言動が見られることは少ない。確固とした信念や哲学をもたず、物事の善悪、正邪を峻別《しゅんべつ》する基準さえもちあわせていないと感じざるをえません。

あれが社会のリーダーと呼ばれる人たちの振る舞いであるなら、いまの子どもたちが大人を尊敬も信用もしないのも無理はないと思えるほどです。

人の上に立つリーダーにこそ才や弁でなく、明確な哲学を基軸とした「深沈厚重」の人格が求められます。謙虚な気持ち、内省する心。「私」を抑制する克己心、正義を重んじる勇気。あるいは自分を磨きつづける慈悲の心……ひと言でいえば、「人間として正しい生き方」を心がける人でなくてはならないのです。

それは中国の古典にもある、「偽」「私」「放」「奢《しゃ》」、この四つの煩いから離れた生き方ともいえます。すなわち偽りがあってはいけないし、私心があってはいけないし、わがままであってはいけないし、奢《おご》りの心があってはいけない。そうした高潔な生き方をおのれに課すこと。それが人の上に立つものの義務、つまりノーブレス・オブリージュというものでしょう。

人として正しい生き方に努めるとは、小学校の道徳のようなことをいう——と笑う人がいるかもしれません。しかし、その小学生のときに教わったようなことを、私たち大人が守れなかったからこそ、いまこれほどまでに社会の価値観が揺らぎ、人の心が荒廃しているのではないでしょうか。

いま、子どもに向かって堂々とモラルを説ける大人がどれほどいるか。これはしてはいけないことだ、あれはこうすべきだと、明確に規範を示し、倫理を説ける。そういう識見と精神、重厚な人格を有した人物がどれだけ出てきたか。それを思うと、私なども忸怩《じくじ》たる思いにとらわれないわけにはいきません。

正しい生き方とは、けっしてむずかしいことではないはずです。子どものときに親から教わった、ごく当たり前の道徳心——嘘《うそ》をつくな、正直であれ、人をだましてはいけない、欲張るな——そういうシンプルな規範の意味をあらためて考え直し、それをきちんと遵守することがいまこそ必要なのです。

心を磨くために必要な「六つの精進」

もちろん心を磨き、高めることが問われているのはリーダーだけではありません。心をよい方向に高めて、能力のみならず人格ある人間を、賢い人間であるだけでなく正しい人間をめざすべきであるのは、どんな人でも変わりはありません。それは生きる目的、人生の意義そのものであるといってもいい。私たちの人生とは、私たちの人間性を高めるためのプロセスにほかならないからです。

それでは、心を高めるということは、いったいどういうことなのでしょうか。それは、けっして悟りの境地、いわば至高の善的境地に達するなどという、むずかしい話ではなく、生まれたときよりも少しでも美しい心になって死んでいくことではないかと思います。

生まれたときよりは死ぬときの魂のほうが少しは進歩した、少しは心が磨かれたという状態。それは、身勝手で感情的な自我が抑えられ、心に安らぎを覚え、やさしい思いやりの心がしだいに芽生え、わずかなりとも利他の心が生まれるというような状態です。また、そのような美しい心へと、もって生まれた自分の心を変化させていくことこそが、われわれが生きる目的です。

なるほど人生は、宇宙のとてつもなく長い歴史からすれば、わずかな一閃《いっせん》にすぎないものかもしれない。しかしだからこそ、その一瞬に満たない生の始まりよりは終わりの価値を高めることに、われわれの生の意義も目的もある。私はそう考えています。もっといえば、そうであろうと努める過程そのものに人間の尊さがあり、生の本質があるのだと思います。

さまざまに苦を味わい、悲しみ、悩み、もがきながらも、生きる喜び、楽しみも知り、幸福を手に入れる。そのようなもろもろの様相をくり返しながら、一度きりしかない現世の生を懸命に生きていく。

その体験、その過程を磨き砂としておのれの心を磨き上げ、人生を生きはじめたころの魂よりも、その幕を閉じようとするときの魂のありようをわずかなりとも高める――それができれば、それだけでわれわれの人生は十分に生きた価値があるというものです。

では、どうしたら心を磨き、魂を高めることができるのか。それにはさまざまな方法やアプローチがあります。山頂をめざすルートは三六〇度、ほぼ無限にあるといってもいいでしょう。

この心を磨く指針として、私は自らの経験から次のような「六つの精進」が大切ではないかと思い、まわりの人たちに説いてきました。
①だれにも負けない努力をする
人よりも多く研鑽《けんさん》する。また、それをひたむきに継続すること。不平不満をいうひまがあったら、一センチでも前へ進み、向上するように努める。
②謙虚にして驕らず
「謙は益を受く」という中国古典の一節のとおり、謙虚な心が幸福を呼び、魂を浄化させ

ることにもつながっていく。

③反省ある日々を送る

日々の自分の行動や心のありようを点検して、自分のことだけを考えていないか、卑《ひ》怯《きょう》な振る舞いはないかなど、自省自戒して、改めるよう努める。

④生きていることに感謝する

生きているだけで幸せだと考えて、どんな小さなことにも感謝する心を育てる。

⑤善行、利他行を積む

「積善の家に余慶あり」。善を行い、他を利する、思いやりある言動を心がける。そのような善行を積んだ人にはよい報いがある。

⑥感性的な悩みをしない

いつまでも不平をいったり、してもしかたのない心配にとらわれたり、くよくよと悩んでいてはいけない。そのためにも、後悔をしないようなくらい、全身全霊を傾けて取り組むことが大切である。

これらを私は、「六つの精進」としてつねに自分にいい聞かせ、実践するよう心がけています。文字にしてしまえば平凡すぎるほどの、このような当たり前の心がけを、日々の暮らしに溶かし込むように、少しずつでいいから堅実に実践していくこと。大仰な教訓を額縁に入れて飾るばかりでなく、やはりふだんの生活のうちに実行していくことが肝要なのです。

幼い心に感謝の思いを植えつけた「隠れ念仏」

いまという時代は物質的な豊かさとは裏腹に、心の貧しさ、精神の空虚さが顕著になってきています。なかでも、先ほど「六つの精進」のなかにもあげた、「感謝」の心が希薄化しているように思います。物があふれ、満ち足りた時代だからこそ、「足るを知る」心、またそれを感謝する心をもう一度見直す時期がきているように思います。

私がまだ若く社会も貧しかったころ、人生を生きるうえでもっとも大切に考え、そうであろうとも努めていたのは「誠実」ということでした。

人生や仕事に対して、できるかぎり誠実であること。手を抜くことなく、まじめに一生懸命に働き、生きるということです。これは貧しい時代の日本を生きた人にとっては格別珍しいことではなく、当時の日本人に血肉化されていた特徴であり、また美徳であったように思います。

やがて高度成長期を迎え、社会が豊かになって落ち着き、京セラも経営が軌道に乗って規模も大きくなってくると、私の中で大きな位置を占めるようになってきたのは「感謝」ということでした。誠実に努めることからもたらされた恩恵に対して、ありがとうございますという思いが自然にわいてくる。そういう体験をくり返すうちに、自分の中にしだいに形成され、実践すべき生活の徳目として定着してきたものと思われます。

自分自身を振り返ってみると、この感謝する心は、私の道徳観の根底を地下水脈のように流れているもので、そこには次のような幼児期の体験が深く作用しています。

私の実家は鹿児島にありますが、まだ四つか五つのころ、父親に連れられて「隠れ念仏」に同行したことがあります。隠れ念仏とは、徳川時代に薩摩《さつま》藩によって一向宗が弾圧されたとき、信仰心の篤《あつ》い人たちによってひそかに守りつづけられた宗教的慣習で、私が幼いころには、まだその習わしが残っていたものと思われます。

他の何組かの親子といっしょに、日没後の暗い山道を提灯《ちょうちん》の明かりを頼りに登っていく。みんな無言で、恐ろしいような神秘的な思いに浸されながら、幼い私も必死で父親の後をついていきました。

登った先には一軒の家があり、その中に入ると、押し入れの中に立派な仏壇が置かれていて、その前で袈裟《けさ》を着たお坊さんがお経を上げていました。小さなロウソクが数本灯《とも》っているだけで家の中はひどく暗く、その薄闇《うすやみ》に溶け込むように、私たちはめいめい席を取りました。

子どもたちはお坊さんの後ろに正座させられ、静かに低い声で続くお経を聞いていましたが、読経が終わると、一人ずつ仏壇に線香を上げて拝むようにいわれ、私もそのとおりにしました。

そのとき、お坊さんが子どもたちに短い言葉をかけてくれたのですが、もう一度来るようにいわれた子どももいる中で、私はお坊さんから、「おまえはもう、これでいい（来る必要がない）、今日のお参りですんだ」と告げられました。

さらに、「これから毎日、『なんまん、なんまん、ありがとう』といって仏さんに感謝しなさい。生きている間、それだけすればよろしい」といい、父に向かっても、この子はもう連れてこなくていいですよと〝おすみつき〟を与えてくれました。

幼い私には、それが何か試験に合格したような、免許皆伝と認められたような気がして、誇らしく、うれしかったのを覚えています。

それは私にとって最初の宗教体験ともいえる印象深い経験でしたが、そのときに教えられた感謝することの大切さは、私の心の原型をつくったように思います。そして実際、いまでもことあるごとに、「なんまん、なんまん、ありがとう」という感謝のフレーズが無意識のうちに口をついて出たり、耳の奥によみがえってくるのです。

ヨーロッパの聖堂などを訪れたときも、その荘厳さに打たれて、思わずこの言葉を唱えたほどで、それは宗教、宗派を超えて私の中に血肉化している「祈り」の言葉であり、心の奥底にまでしみ込んでいる「内なる口ぐせ」といえます。

どんなときも「ありがとう」といえる準備をしておく

なんまん、なんまん、ありがとう。子どもにもやさしく覚えやすい祈りの言葉。それは私の信仰心の原型となった言葉であり、また、私の中に感謝する心を培うきっかけともなった言葉でした。

いつもこの言葉をつぶやくことで、だれに対しても、何についても、いいときはもちろん、悪いときもありがとうと感謝する心を涵養《かんよう》し、できるだけ正しく生きようと努めてきたつもりです。

禍福はあざなえる縄のごとし——よいことと悪いことが織りなされていくのが人生というものです。だからよいにつけ悪いにつけ、照る日も曇る日も変わらず感謝の念をもって生きること。福がもたらされたときにだけではなく、災いに遭遇したときもまた、ありがとうと感謝する。そもそもいま自分が生きている、生かされている。そのことに対して感謝の心を抱くこと。その実践が私たちの心を高め、運命を明るく開いていく第一歩となるのだと、私は心にいい聞かせてきました。

しかし、言うは易く行うは難《かた》しで、晴れの日にも雨の日にも、変わらず感謝の念を忘れないということは人間にとって至難の業です。たとえば災難にあう。これも修行だと感謝しなさいといっても、なかなかそんな気にはなれません。むしろ、なんで自分だけがこんな目にあうのかと、恨みつらみの思いを抱くのが人間の性《さが》というものでしょう。

それなら、物事がうまくいったとき、幸運に恵まれたときには、ほうっておいても感謝の念が生まれてくるのかといえば、これもそうではありません。よかったらよかったで、それを当たり前だと思う。それどころか「もっと、もっと」と欲張るのが人間というものなのです。つい感謝の心を忘れ、それによって自らを幸せから遠ざけてしまう。

したがって、必要なのは「何があっても感謝の念をもつ」のだと理性にインプットしてしまうことです。感謝の気持ちがわき上がってこなくても、とにかく感謝の思いを自分に課す、つまり「ありがとう」といえる心を、いつもスタンバイさせておくことが大切なのです。

困難があれば、成長させてくれる機会を与えてくれてありがとうと感謝し、幸運に恵まれたなら、なおさらありがたい、もったいないと感謝する——少なくともそう思えるような感謝の受け皿を、いつも意識的に自分の心に用意しておくのです。

さらに次のように考えてもいいでしょう。なるほど感謝は満足から生まれるものであって不足や不満からは生まれてはきません。しかし、その満足や不足とはいったいどういうことでしょう。単純に、多くを得れば満足で、少なければ不足といえるのでしょうか。

物質的にはそのとおりでしょう。しかし、同じものを得ても、足りなく思う人もいれば満ち足りる人もいます。少ないものでも「足るを知る」人もいれば、いくら得ても飽くことを知らない人もいる。不平不満の絶えない人がいる一方で、どんなときでも心が満ち足りている人もいます。

ですから、あくまでもそれは心の問題なのです。物質的にはどんな条件下にあろうとも、感謝の心をもてれば、その人は満足感を味わうことができるのです。

うれしいときは喜べ、素直な心が何よりも大切

感謝の心が幸福の呼び水なら、素直な心は進歩の親であるかもしれません。自分の耳に痛いこともまっすぐな気持ちで聞き、改めるべきは明日といわず、今日からすぐに改める。そんな素直な心が私たちの能力を伸ばし、心の向上を促します。

この「素直な心」の大切さを説いたのが、松下幸之助さんでした。松下さんは、自分には学問がないからと、いつも他人から教えてもらうことで自分を成長させていこうとする姿勢を生涯変えることがありませんでした。〝経営の神さま〟といわれてなかば神格化された以後も、この「生涯一生徒の気持ち」を忘れず貫かれたところに、松下さんの真の偉大さがあると私は思っています。

もちろん、その素直とは、右を向けといったらただ右を向く、そういう従順さのことではありません。素直な心とは、自らの至らなさを認め、そこから惜しまず努力する謙虚な姿勢のことです。人の意見をよく聞く大きな耳、自分自身を見つめる真摯な目。それらを

身のうちに備えて絶えず働かせることなのです。

まだ研究者として駆け出しのころ、一生懸命実験に打ち込んで思いどおりの結果が出ると、私はよく「やったあ」と飛び上がって、その喜びを全身で表現していたものです。ところが私の助手は、そんな私をひややかな目で見ていました。

あるときも、私は飛び上がって喜びながら、その助手に向かって、「キミも喜べよ」と促したところ、彼はさもおもしろくなさそうな顔で私をジロリとにらみ、

「あなたはなんて軽率な人なんでしょう」

と吐き捨てるようにいいました。

「いつも些細《ささい》なことで、やったやったと喜んでいますが、男が飛び上がって喜ぶようなことは、一生のうちに一度か二度、あるかないかのことです。そうしょっちゅう軽々しく喜んでいたら、人間を安っぽく見せるだけですよ」

それを聞いて、私は一瞬、冷水を浴びせられたように感じました。しかし私は気を取り直して、次のようにいいました。

「キミのいうことはもっともだが、成果が出たときには、それがささやかなものであっても単純素直に喜ぶのがいいと私は思っている。多少軽薄ではあっても、素直に喜び感謝す

る気持ち。そういう心のあり方が、地味な研究や地道な仕事を続けていくためのエネルギーとなるのだ」

なかば苦しまぎれのセリフでしたが、それは私の人生の指針や哲学を明快に反映していたように思います。

つまり、どんなささやかなことに対しても、うれしいという喜心、ありがとうという感謝の気持ちをもって、理屈抜きで素直に接すること。その大切さを、私は図らずも助手に向かって説いていたのです。

素直といえば、日々の反省も心を磨くために忘れてはならない実践であり、素直な心の所産なのでしょう。いくら謙虚であろうと努めても、つい知ったかぶりをしたり、偉そうに振る舞ってしまうことが人間にはあります。

驕り、高ぶり、慢心、いたらなさ、過ち、そういうおのれの間違った言動に気づいたときは自ら反省の機会をもち、自分を律する規範のタガを締め直すことが大事です。そのような日々の反省を厭《いと》わない人こそ、心を高めていくことができるのです。

「神さま、ごめん」――私も実際にそう声に出して、反省の言葉を口にすることがあります。ちょっといばったようなことや調子のいいことをいってしまった日など、家に帰り、あるいはホテルの部屋に戻ると、「神さま、さっきの態度はごめんなさい、許してください」と反省し、次はするまいと自分を戒めるのです。

子どもみたいに大きな声でいうものですから、人が聞いたら気がふれたのではないかと思うかもしれません。ですから一人になるのを待って、素直な心で自省自戒の言葉を口にする。そして明日からはまた謙虚な姿勢で、「人生の生徒」として一からやり直そうと心に刻むのです。

この「神さま、ごめん」と「なんまん、なんまん、ありがとう」は、互いに対をなしている私の口ぐせといえます。つまり反省と感謝の心をこの二つの短い言葉に代表させて、自分を律するための、単純ですが明快な指針としているのです。

トルストイも感嘆した仏教説話が描く人間の欲深さ

感謝する心、素直な反省心。その他過剰な「欲」を離れることも、私たちの人間性を高めるために必要になってきます。この貪欲《どんよく》というものは実にやっかいなもので、人間の心の根深いところに抜きがたく住みつき、人間をむしばんで、私たちの生きる道を誤らせる

「毒」となるものです。

お釈迦《しゃか》さまは、そのような欲にからめとられやすい人間の実相について、次のようなたとえ話を語られているそうです。少し長くなりますが、紹介してみましょう。

――秋も深まったある日、木枯らしの吹く寒々とした景色の中を旅人が家路を急いでいます。ふと見ると、足もとに白いものがいっぱい落ちている。よく見れば、それは人間の骨です。なぜ、こんなところに人の骨が……と気味悪く、不思議にも思いながら先へ進んでいくと、向こうから一頭の大きな虎《とら》が吠《ほ》えながら迫ってきます。

旅人はびっくり仰天し、なるほど、この骨はあの虎に食われた哀れな連中の成れの果てかと思いながら、急いできびすを返して、いま来た道を一目散に逃げていきます。しかし、どう道を迷ったものか断崖《だんがい》絶壁につき当たってしまう。崖下《がけした》は怒濤《どとう》逆巻く海。後ろからは虎。進退窮まって、旅人は崖っぷちに一本だけ生えていた松の木によじ登ります。しかし虎もまた恐ろしく大きな爪《つめ》を立てて松の木を登りはじめている。

今度こそ終わりかと観念しかけましたが、目の前の枝から一本の藤づるが下がっているのを見つけ、旅人は藤づるをつたって下へ降りていきました。しかし、つるは途中で途切れており、旅人は宙ぶらりんの状態になってしまいます。

上方では虎が舌なめずりしながらにらんでいる。しかも下をよく見ると、荒れ狂う海には赤、黒、青の三匹の竜が、いまにも落ちてきそうな人間を食べてやろうと待ちかまえています。

さらには上のほうからガリガリと音がするので、目を上げると、藤づるの根もとを白黒のネズミが交互にかじっている。

そのままでは、つるはネズミの歯にかみ切られて、旅人は口を開けている竜目がけてまっさかさまに落下するほかありません。まさに八方ふさがりの中で、旅人は何とかネズミを追い払うべく、つるを揺すってみました。すると、何か生ぬるいものが頬《ほお》に落ちてくる。なめてみると甘いハチ蜜《みつ》です。つるの根もとのほうにハチの巣があり、揺さぶるたびに蜜がしたたり落ちてくるのです。

旅人はその甘露のような蜜の味のとりこになってしまいました。それで、いま自分が置かれている絶体絶命の状況も忘れて——虎と竜のはさみ打ちにあい、たった一本の命綱であるつるをネズミにかじられているにもかかわらず——何度も何度もその命綱を自ら揺すっては、うっとりと甘い蜜を味わうことをくり返したのです。

これが欲にとらわれた人間の実相であると、お釈迦さまは説いておられます。それほどせっぱ詰まった危機的な状況に追い込まれてもなお、甘い汁をなめずにはいられない。それが私たち人間のどうしようもない性であると述べておられるのです。

ロシアの文豪トルストイがこの話を知って、「これほど人間（の欲深さ）を、うまく表現した話はない」と驚き、感心したといわれていますが、たしかに人間の生き様、あるいは人間のもつ欲望の根深さを表現したたとえ話としては、これ以上のものはないように思われます。

ちなみに、虎は死や病気を表しています。松の木はこの世での地位や財産や名誉を表し、白と黒のネズミは昼と夜、すなわち時間の経過を表しています。絶えず死の恐怖に脅かされ、追われながらも、生にすがろうとする。しかし、それは一本の藤づるほどに頼りないものでしかない。

そのつるも時間とともに摩滅していき、私たちは年々歳々、逃げてきたはずの死に近づいていくのですが、それでも自分の寿命、生命を縮めてでも「蜜」を欲しがる。そんなあさましいほどの欲望といっときも縁の切れない存在。それが人間の偽りない実相だとお釈迦さまは教えているわけです。

人を惑わせる「三毒」をいかに断ち切るか

蜜とは、人間の欲望を満たしてくれるさまざまな快楽のことでしょう。そして人間が落ちてくるのを待っている竜は、人の心がつくり出したもの。いわば人間が抱くみにくい思念や欲望をそのまま投影したものなのです。

つまり赤い竜が「怒り」、黒い竜が「欲望」、青い竜は妬《ねた》み、そねみ、恨みといった「愚痴」で、この三つを仏教では「三毒」といいます。三匹の竜とは三毒のことであり、お釈迦さまいわく、それこそが「人生をダメにする」要素なのです。

欲望、愚痴、怒りの三毒は、百八つあるといわれる煩悩のうちでも、ことに人間を苦しめる元凶であり、また逃れようとしても逃れられない、人間の心にからみついて離れない「毒素」といえましょう。

たしかに人間というものは、この三毒にとらわれて日々を送っているような生き物です。人よりもいい生活をしたい、早く出世したい。こういう物欲や名誉欲はだれの心にもひそんでおり、それがかなわないと、なぜ思ったとおりにならないのかと怒り、返す刀で、それを手に入れた人に嫉妬《しっと》を抱く——たいていの人はこういう欲に四六時中とらわれ、振り回されています。

これは子どもや赤ん坊でも、さほど変わることがありません。私の孫たちにしても、一方をかわいがると、もう一方がすぐに嫉妬の素振りを見せます。すでに二、三歳で一人前の煩悩に毒されているのです。

むろん欲望や煩悩というのは、人間が生存していくためのエネルギーでもありますから、それをいちがいに否定するわけにはいきません。しかしそれは同時に、人間を絶えず苦しめ、人生を台無しにしてしまいかねない猛毒も有している。

考えてみれば、人間というのはなんと因果な生き物でしょうか。自分たちの生存に不可欠なエネルギーが、そのまま自分たちを不幸にし、滅ぼしてしまいかねない毒でもあるのですから。

したがって大事なのは、できるだけ「欲を離れる」ことです。三毒を完全に消すことはできなくても、それを自らコントロールして抑制するよう努めること。この方法に近道はありません。これまで述べてきた誠実や感謝や反省といった「平易な勤行《ごんぎょう》」を平時から地道に積み重ねていく。あるいは、物事を理性で判断する習慣を日ごろから自分に課すことなどが肝要です。

たとえば、私たちは日々さまざまな事柄について判断を迫られています。そんなとき瞬間的に判断を下したことは、おおむね本能から（つまり欲望から）出てきた答えです。したがって相手に返答する前に、最初の判断をいったん保留して、ちょっと待てよとひと呼吸おく。

「その思いには、おのれの欲が働いていないか、私心が混じっていないか」と自問することが大切なのです。そうやって結論を出す前に、「理性のワンクッション」を入れると、欲に基づいた判断ではなく、理性に基づく判断に近づくことができる。少なくとも思考プロセスにそのような理性的な回路を設けておくことは、欲を離れるためにきわめて大事なことだと思います。

欲、すなわち私心を抑えることは、利他の心に近づくことです。この自分よりも他者の利を優先するという心は、人間のもつすべての徳のうちで特上、最善のものであると私は思っています。

おのれをむなしくして相手を利する。自分のことは後回しにして世のため人のために尽くす。その利他の心が生まれたとき、人間は欲に惑わされず生きることができる。また、利他の思いによって、初めて煩悩の毒が消え、欲の濁りがぬぐわれた「美しい心」があらわになって、きれいな願望が描けるようになるのです。

「正剣」を抜いたら成功、「邪剣」を抜いたら墓穴を掘る

利他の心については、次の章で詳しくふれることにしますが、世のため、人のためというきれいな心をベースにした思い、願望というのはかならず成就します。それが最上の思いであるがゆえに、最良の結果がもたらされるのです。

逆に私利私欲に基づいた「濁った願望」は、いったんは実現できても、一時的な成功で終わってしまう。ワコールの創業者である塚本幸一さんふうにいえば、それが「邪剣を抜く」ことになるからです。

塚本さんとは同じ京都の財界人ということで、親しくおつきあいをさせていただきました。彼はいわゆるインパール作戦の生き残りです。太平洋戦争末期、ビルマのインパールで行われた無謀かつ悲惨極まりない日本軍の侵攻作戦は、多数の犠牲者を出しましたが、塚本さんはそれを命からがら生き延びて、何とか祖国に引き揚げてきた体験の持ち主なのです。何せ所属していた小隊五十五名中、生存者はたった三名。塚本さんはそのうちの一

人なのです。

そして終戦後の混乱の中、アクセサリーの行商から始めて、のちにワコールを興すのですが、その九死に一生を得た経歴から彼は、「オレには神がついとる」というのです。神がついているから、事業においても、こうしたい、ああしたいと思ったことは全部うまくいってきたと。

あるとき、塚本さんが補佐役として厚い信頼をおいていた副社長に、そのことを述べたところ、たしかに社長のおっしゃるとおりだ、ただ、あなたが「邪剣」を抜いたときだけは例外ですよ、といわれたのだそうです。

社長は二つの剣を持っている。正義の剣と邪悪の剣の二つ。このうち「正剣」を抜いたときは、たしかにことごとく成功しているが、「邪剣」を抜いたときには、これまたことごとくうまくいっていない。

それはつまり、社長に神がついている証拠で、正剣を抜いたときには神が加勢してくれるが、邪剣を抜いたときには神はそっぽを向いているからだというのです。

「そう副社長からいわれたが、さすがによく見とるわ」

と塚本さんがしみじみ感心しておられたことがありましたが、私もそう思います。

邪剣とは「濁った願望」のこと。自分のためだけに損得のソロバンを弾く私利私欲が混じった思いです。そういうものは、強い願望だけに成就することはあっても、けっして長続きはしない。

反対に、私たちが何事かなそうとして必死で願い、一生懸命努力する。その願望が自分の利や欲を離れたきれいなものであれば、それはかならず実現し、また永続するものです。

願望をかなえようと必死に努力しても、なかなか実現できず、困り抜き、悩み果てている。そんなときでも、解決や成就のための思いもかけないヒント、思いもよらない知恵がふとしたときに啓示のごとくにわいてくる。それは、あたかも宇宙の創造主が自分の背中を押してくれているかのように感じることがあるものです。

天網恢々《かいかい》疎にして漏らさず――見ていないようで、人間のすること、思うことの理非曲直を神さまというものは実によく見ている。したがって成功を得る、あるいは成功を持続させるには、描く願望や情熱がきれいなものでなくてはなりません。

ですから、まず私心を含まず、きれいな心で思う。そのような思いをもって「正剣」を抜くことが、物事を成就させ、人生を豊かなものにしてくれるのです。

働く喜びは、この世に生きる最上の喜び

これまで、心を磨き、人格を高める心がけをいくつか説いてきましたが、物事を成就させ、人生を充実させていくために必要不可欠なことは「勤勉」です。すなわち懸命に働くこと。まじめに一生懸命仕事に打ち込むこと。そのような勤勉を通じて人間は、精神的な豊かさや人格的な深みも獲得していくのです。

私は、人間がほんとうに心からの喜びを得られる対象というものは、仕事の中にこそあると思っています。そういうと、仕事一筋では味気ない、人生には趣味や娯楽も必要だという反論が返ってくるでしょう。

しかし趣味や遊びの楽しさとは、仕事の充実があってこそ味わえるもので、仕事をおろそかにして趣味や遊びの世界に喜びを見いだしたとしても、一時的には楽しいかもしれませんが、けっして心からわき上がるような喜びを味わうことはできないはずです。

もちろん仕事における喜びというのは、飴玉《あめだま》のように口に入れたらすぐ甘いといった単純なものではありません。労働は苦い根と甘い果実をもっているという格言のとおり、それは苦しさやつらさの中からにじみ出してくるもの。仕事の楽しさとは苦しさを超えたと

ころにひそんでいるものなのです。

だからこそ、働くことで得られる喜びは格別であり、遊びや趣味ではけっして代替できません。まじめに一生懸命仕事に打ち込み、つらさや苦しさを超えて何かを成し遂げたときの達成感。それに代わる喜びはこの世にはないのです。

人の営みのうち最上の喜びを与えてくれる労働において、あるいは人生の中でもっとも大きなウェイトを占める仕事において、充実感が得られないかぎり、他の何かで喜びを得たとしても、私たちには結局物足りなさしか残らないはずです。

また、仕事に懸命に打ち込むことがもたらす果実は、達成感ばかりではありません。それは私たちの人間としての基礎をつくり、人格を磨いていく修行の役目も果たすのです。

禅宗では、お寺の雲水は食事の用意から庭掃除まで、日常のあらゆる作業を行いますが、それは座禅を組むことと同等のレベルに位置づけられています。つまり日常生活の労働に懸命に取り組むことと、座禅を組んで精神統一を図ることの間に、本質的な差はないと考えられているのです。日常の労働がすなわち修行であり、一生懸命仕事に取り組むことが、そのまま悟りにつながる道だと教えているわけです。

悟りとは心を高めること。心が磨かれていくその最終、最高のレベルが悟りの境地です。

その悟りを開く方法として、お釈迦さまが説いているのが、「六波羅蜜《ろくはらみつ》」です。

お釈迦さまが説く「六波羅蜜」を心に刻め

「六波羅蜜」とは、仏の道において少しでも悟りの境地に近づくために行わなくてはならない菩薩道《ぼさつどう》を記したもの。いわば心を磨き、魂を高めるために不可欠な修行であり、それは次の六つとされています。

①布施《ふせ》

世のため人のために尽くす利他の心をもつこと。自分の利より相手の利を図り、他人への思いやりをもつことをつねに意識して人生を送る大切さを説くものです。

布施とは一般には、施し（喜捨）をすることの意味に使われていますが、本来は自己犠牲を払ってでも広く人々に対して尽くすことをいい、またそれができなくても、そのようなやさしい心をもつということなのです。

そのような他者への思いやりに満ちた心をもつことによって、人間は心を高めていくことができるのです。

②持戒《じかい》

人間としてやってはならない悪《あ》しき行為を戒め、戒律を守ることの大切さを説くものです。すでに述べたように人間はさまざまな煩悩を抱えた存在です。欲望、愚痴、怒りの三毒からなかなか離れられません。それだけに、そのような煩悩を抑えて、自分の言動を正しくコントロールしていく必要がある。欲張ったり、むさぼったり、人を疑ったり、妬んだり、恨んだり……そうした煩悩、欲望を抑制することがそのまま持戒となります。

③精進《しょうじん》

何事にも一生懸命に取り組むこと。すなわち努力のことをいいます。この努力とは、「だれにも負けない」くらいのものでなくてはならないと私は考えています。プロローグで紹介した二宮尊徳の例でもわかるとおり、そのような懸命の精進こそが心を高め、人格を練り上げることを、古今東西の偉人たちの人生は如実に物語っています。

④忍辱《にんにく》

苦難に負けず、耐え忍ぶこと。人間の生は波瀾《はらん》万丈であり、私たちは生きている間にさまざまな苦難に遭遇します。しかしそれに押しつぶされることなく、そこから逃げることもなく、耐えてさらに努力を重ねる。それが私たちの心を鍛え、人間性を磨くのです。

⑤禅定《ぜんじょう》

騒がしく、せわしない社会の中で、私たちはつねに時間に追われ、物事を深く考える間もなく、先を急ぐ日々を送りがちです。それだけに、せめて一日一回は心を静め、静かに自分を見つめ、精神を集中して、揺れ迷う心を一点に定めることが必要になってきます。かならずしも座禅を組んだり瞑想《めいそう》をしたりする必要はありません。多忙な中にあっても、いっときの時間を見つけて、心を静めることが大切です。

⑥智慧《ちえ》

以上の、布施、持戒、精進、忍辱、禅定の五つの修養に努めることによって、宇宙の「智慧」、すなわち悟りの境地に達することができるとされています。そのとき天地自然を律している大本の理《ことわり》、宇宙をつかさどる真理、いいかえればお釈迦さまのいわれる智慧へと近づくことができるのです。

日々の労働によって心は磨かれる

この六波羅蜜の六つの修養は、悟りに至る修行の道を説いたものですが、なかでも私たちが暮らしの中でもっとも実践しやすく、また心を高める方途として一番基本的かつ重要な要件は、「精進」——努力を惜しまず一生懸命働くことです。

いいかえれば、私たちが自分の人間性を向上させたいと思ったとき、そこにむずかしい修行などは必要ありません。ただ、ふだんの暮らしの中で自分に与えられた役割、あるいは自分が行うべき営為を——それが会社の業務であろうと、家事であろうと、勉学であろうと——粛々と、倦《う》まず弛《たゆ》まず継続していくこと。それが、そのまま人格錬磨のための修行となるのです。

すなわち、日々の労働の中にこそ、心を磨き、高め、少しでも悟りに近づく道が存在しているということです。

私は、たとえば宮大工の棟梁《とうりょう》のように、一つの職業、一つの分野に自分の一生を定め、その中で長く地道な労働を営々と重ね、おのれの技量と人間を磨いてきた人物に強く魅了されます。その卓越した技量はもちろんのこと、仕事を通じて体得してきた揺るぎない哲学、厚みのある人格、すぐれた洞察力などが、私の心の深いところに呼応してくるのです。

若いときから七十歳、八十歳というご高齢になるまで、その道一筋に自分を鍛え上げてこられた、その人間の重みや存在感が、語らずとも色濃くにじみ出ている。たとえば、

「木には命が宿っている」

「木が語りかけてくる」

そんな深遠な響きの言葉を寡黙なうちにもポツリと口にされる。そういう宮大工の棟梁の風貌《ふうぼう》が、私にはどんな偉い哲学者や宗教家よりも崇高に見えます。

努力を惜しむことなく、辛苦を重ねながら、懸命に一筋の道を究める、そのような精進によって、あの人たちがたどり着いた心の高みや人格の奥深さに、何かすごみさえ感じるのは私だけではないはずです。

このことからも、働くという営みの尊さをあらためて思わないわけにはいきません。「悟りは日々の労働の中にある」ことをつくづく実感させられるのです。

これは職人の世界だけでなく、スポーツの世界でも同様です。大リーグのイチロー選手にしても、精進を重ねて名人達人の高みまで達した人です。彼は小学生のころから大リーガーを夢見て、一日も休むことなく素振りをくり返していたそうです。

遊びたい盛りの年代に、すでに自分の目標をしっかりと定め、それに向かって黙々と研鑽を積んできた。「ヒットを打てといわれれば、いつでも打てます」。高校生のときに彼はそういったそうですが、そういえるだけの精進の裏づけがあるから、そこには傲慢《ごうまん》な響きがないのだと思います。そしてその精進の結果が現在のイチロー選手なのです。

地道な精進なくして、名人の域に達した人はいません。私たちが自分の仕事を心から好きになり、だれにも負けない努力を払い、精魂込めてその仕事に取り組む。それを通じて――ただそのことだけを通じて――私たちは生きることの意味や価値を学び、心を磨き、人格を練り上げて、人生の真理を体得することができるのです。

労働の意義、勤勉の誇りを取り戻そう

この章の最初に、謙虚さのもつ美徳についてふれましたが、いま述べた勤勉がもたらす美徳もまた、私たちがあらためて考え直し、取り戻さなくてはならない精神ではないかと思います。

近代以降、とくに戦後において、働くという行為の意義や価値が「唯物的に」とらえられすぎたきらいがあります。働く最大の目的は物質的豊かさを得ることにあり、したがって仕事とは、自分の時間を提供して報酬を得るための手段であるという考えに、私たちは慣れてしまっています。

そこからは当然、労働はお金を得るために行わなくてはならない苦役だから、なるべく楽をして、多くのお金をもらうのが「合理的」であるという考え方が生まれてきます。このような労働観は日本の社会を広く覆い、たとえば教育の現場にも浸透していきました。しかし、教育者は成長期の子どもの人格形成に深くかかわり、それを指導サポートしていかなくてはなりません。だからこそ、教職という職業は単なる労働の域を超えたもので、教師の全人格をもって子どもと向き合うことが要求される尊い職業、いわゆる「聖職」であるはずです。

ところが昨今、先生たちは自らその誇りを捨てて、われわれは一介の労働者であり、知識を生徒に伝える作業を行うために自分の時間を切り売りし、その対価として報酬を得ているにすぎないと、自分たちの地位をおとしめ、教職者としてのプライドや真摯さをしだいに失ってしまったように思います。現在、学級崩壊などに象徴される教育の荒廃も、どうもそのへんに遠因があるような気がしてなりません。

それでも、まだ高度経済成長期までは、私たちには働くことを厭わない勤勉の精神が残っていました。しかし、日本人は働きすぎだ、もっと遊べと欧米あたりから批判されると、あわてて時短などと称して、労働時間を減らして余暇をふやすことに官民こぞって熱心になりました。

何か熱心に働くことが罪悪であるかのような風潮がまかり通る時代を経て、いまでは勤勉の価値はかなり下位に追いやられています。余暇を精神的余裕の母体として考える欧米流の労働スタイルを、私は否定しようとは思いません。しかし、それを無批判に受け入れて、働くことの価値を軽視するような振る舞いは大きな間違いであると思うのです。

同様に、労働を生活の糧《かて》を得るための物質的手段とだけとらえることもまた誤りだと考えています。これまでも述べてきたように、そこには心を磨き、人格を練るという精神的な意義もおおいに含まれている。もともと日本、あるいは東洋には、この労働のもつ精神性——労働を人間形成のための精進の場としてとらえる視点が、確固として存在していました。

戦後日本を統治した連合軍最高司令官マッカーサーは、極東政策をめぐる議会証言で、日本人の労働観について述べたことがあります。それは、日本の擁する労働力は量的にも質的にも、いずれの国にも劣らぬ優秀なものであるばかりか、日本の労働者は、人間とは遊んでいるときよりも働いているときのほうが幸福であるという、いわば「労働の尊厳」を見いだしていた、というものであったそうです。

かつて私たち日本人はそのように、働くことに深い意味と価値を見いだしていました。勤勉に努める姿勢が誇りや生きがいに通じ、心の豊かさを生んでいくこともよく知悉《ちしつ》しており、そこに人生の意義さえ感じていたのです。

遊んでいるよりも働いているときに喜びを感じる精神性。単純労働であっても、そこに創意工夫を働かせて仕事を楽しくする術《すべ》。他人から強制されて「働かされる」だけでなく、自分が労働という行為の主体となって「働く」知恵。そういうものをたしかに私たちは有していました。

かつてはもっていたが、いまはほとんど失ってしまった、そういう日本人の労働観の意味するところを、あらためて考えてみるべきではないでしょうか。

人は仕事を通じて成長していくものです。自らの心を高め、心を豊かにするために、精いっぱい仕事に打ち込む。それによって、よりいっそう自分の人生をすばらしいものにしていくことができるのです。

第4章

利他の心で生きる

托鉢の行をして出会った人の心のあたたかさ

一九九七年九月、私は京都の円福寺《えんぷくじ》というお寺で得度をし、「大和《だいわ》」という僧名をちょうだいしました。ほんとうは六月に得度を行う予定だったのですが、直前に検診で胃がんが見つかり、急遽《きゅうきょ》手術を受けることになったのです。そして、術後二か月あまりを経過して、いまだ体調も万全とまではいきませんでしたが、九月七日に、俗界に身を置きながら、仏門の一員に加えていただきました。

それから二か月あまりたった十一月には、短期間ではありますが、お寺に入り修行もしました。病み上がりのこともあって、修行はかなり厳しいものでしたが、そこで私は生涯忘れることのできない体験をすることができました。

初冬の肌寒い時期、丸めた頭に網代笠《あじろがさ》を被《かぶ》り、紺木綿の衣、素足にわらじという姿で、家々の戸口に立ってお経を上げて、施しを請う。いわゆる托鉢《たくはつ》の行は慣れない身にはひどくつらく、わらじからはみ出した足の指がアスファルトですり切れて血がにじみ、その痛みをこらえて半日も歩けば、体は使い古しの雑巾《ぞうきん》のようにくたびれてしまいます。

それでも先輩の修行僧といっしょに、何時間も托鉢を続けました。夕暮れどきになってようやく、疲れきった体を引きずり、重い足どりで寺へと戻る途上、とある公園にさしかかったときのことです。公園を清掃していた作業服姿の年配のご婦人が、私たち一行に気づくと、片手に箒《ほうき》を持ったまま小走りに私のところにやってきて、いかにも当然の行為であるかのように、そっと五百円玉を私の頭陀《ずだ》袋に入れてくださったのです。

その瞬間、私はそれまで感じたことのない感動に全身を貫かれ、名状しがたい至福感に満たされました。

それは、その女性がけっして豊かな暮らしをしているようには見えないにもかかわらず、一介の修行僧に五百円を喜捨することに、何のためらいも見せず、またいっぺんの驕《おご》りも感じさせなかったからです。その美しい心は、私がそれまでの六十五年間で感じたことがないくらい、新鮮で純粋なものでした。私は、その女性の自然な慈悲の行を通じて、たしかに神仏の愛にふれえたと実感できたのです。

おのれのことは脇《わき》に置いて、まず他人を思いやる、あたたかな心の発露――あのご婦人の行為はささやかなものではありましたが、それだけに人間の思いと行いのうちの最善のものを示していたように思えます。その自然の徳行が、私に「利他の心」の真髄を教えてくれたのです。

「利他」の心とは、仏教でいう「他に善《よ》かれかし」という慈悲の心、キリスト教でいう愛のことです。もっとシンプルに表現するなら「世のため、人のために尽くす」ということ。人生を歩んでいくうえで、また私のような企業人であれば会社を経営していくうえで欠かすことのできないキーワードであると私は思っています。

利他というと何かたいそうな響きがあります。しかし、それは少しもだいそれたものではありません。子どもにおいしいものを食べさせてやりたい、女房の喜ぶ顔が見たい、苦労をかけた親に楽をさせてあげたい。そのように周囲の人たちを思いやる小さな心がけが、すでに利他行なのです。

家族のために働く、友人を助ける、親孝行をする……そうしたつつましく、ささやかな利他行が、やがて社会のため、国のため、世界のためといった大きな規模の利他へと地続きになっていく。その意味では、私に五百円玉を施してくれたご婦人とマザー・テレサの間に、本質的な差はありません。

人間はもともと、世のため人のために何かをしたいという善の気持ちを備えているものです。昨今でも、たとえば手弁当で災害地にかけつけるボランティアの若者が数多くいるという話などを聞くと、利他というのは、人間がもつ自然な心の働きだという思いを強くします。

人間の心がより深い、清らかな至福感に満たされるのは、けっしてエゴを満たしたときでなく、利他を満たしたときであるというのは、多くの人が同意してくれることでしょう。

また賢明な人は、そのように他人のために尽くすことが、他人の利だけにとどまらず、めぐりめぐって自分も利することにも気づいているものです。

心の持ち方ひとつで地獄は極楽にもなる

もうかれこれ四十年あまりも昔の話ですが、京セラがまだ中小企業だったころ、私は入社式のときに、大卒の新入社員に対して次のような話をしたことがあります。

――キミたちは、いままで両親や社会のさまざまな人たちのお世話になって生きてきた。これからは社会人になるのだから、今度は社会に対してお返しをしていく番だ。社会人になってまで、人から何かをしてもらおうという気持ちでいてはダメだ。「してもらう」側から「してあげる」側へと、立場を一八〇度変える必要があるのだ――

このような話をするきっかけとなったのは、京セラがまだ小さく、十分な福利厚生もなかったころのこと、入社して間もない大卒の新入社員たちが「もっとましな会社かと思っていたら、福利厚生もしっかりしていないし、待遇もよくない」などと文句をいってきたからです。

それに対して、私は「たしかにいまはまだこの会社は小さく、十分な設備も制度もない。しかし、これから会社を立派にして、十分な福利厚生もある企業にしていくのは、これからのキミたちの働きいかんだ。してもらうのではなく、自分でつくり上げるのだ」と叱《しか》りつけました。

他人から「してもらう」立場でいる人間は、足りないことばかりが目につき、不平不満ばかりを口にする。しかし、社会人になったら、「してあげる」側に立って、周囲に貢献していかなくてはならない。そのためには人生観、世界観を一八〇度ひっくり返さなければならないと、諭したのです。

当時まだ、私は「利他」という言葉を知らなかったので、そのことを確固とした思想や哲学としていたわけではありません。しかしそれでも私は、少しでも他人のために何かをしていこうとする心がけの大切さを、若き社会人たちに説きつづけてきたのです。

自分よりも先に他人によかれと考える。ときに自らを犠牲にしても人のために尽くす。

そのような思いやりの心の大切さを、私が得度したときにお世話になった円福寺のご老師は、次のようなたとえ話で説いておられました。

――あるお寺で若い修行僧が老師に「あの世には地獄と極楽があるそうですが、地獄とはどんなところなのですか」と尋ねました。すると老師は次のように答えます。

「たしかにあの世には地獄もあれば、極楽もある。しかし、両者には想像しているほどの違いがあるわけではなく、外見上はまったく同じような場所だ。ただ一つ違っているのは、そこにいる人たちの心なのだ」

老師が語るには、地獄と極楽には同じように大きな釜《かま》があり、そこには同じようにおいしそうなうどんがぐつぐつと煮えている。ところが、そのうどんを食べるのが一苦労で、長さが一メートルほどの長い箸《はし》を使うしかないのです。

地獄に住んでいる人はみな、われ先にうどんを食べようと、争って箸を釜につっ込んでうどんをつかもうとしますが、あまりに箸が長く、うまく口まで運べません。しまいには他人がつかんだうどんを無理やり奪おうと争い、ケンカになって、うどんは飛び散り、だれ一人として目の前のうどんを口にすることはできない。おいしそうなうどんを目の前にしながら、だれもが飢えてやせ衰えている。それが地獄の光景だというのです。

それに対して極楽では、同じ条件でもまったく違う光景が繰り広げられています。だれもが自分の長い箸でうどんをつかむと、釜の向こう側にいる人の口へと運び、「あなたからお先にどうぞ」と食べさせてあげる。そうやってうどんを食べた人も、「ありがとう。次はあなたの番です」と、お返しにうどんを取ってあげます。ですから極楽では全員がおだやかにうどんを食べることができ、満ち足りた心になれる——

同じような世界に住んでいても、あたたかい思いやりの心をもてるかどうかで、そこが極楽にも地獄にもなる。それが、この話がいわんとしていることなのです。

私も、この「利他の心」の必要性を幾度となく社員に対して説いてきました。よい経営を続けていくためには、心の底流に「世のため、人のため」という思いやりの気持ちがなくてはいけない——そのことを再三再四強調してきたのです。

「他を利する」ところにビジネスの原点がある

弱肉強食のビジネス界で、私がしきりに利他だの愛だの思いやりだのと口にしているので、そんなおめでたいことばかりいって、あの美言の裏に何かあるのではないかという声を聞くこともあります。しかし、私は巧言を弄《ろう》して何か企図する気など毛頭ない。ただ自分の信ずるところを素直に人に伝え、また自分自身がそれを本気で実践していきたいと念じているだけです。

そもそも歴史を振り返っても、資本主義はキリスト教の社会、なかでも倫理的な教えの厳しいプロテスタント社会から生まれてきたものであることがわかります。

初期の資本主義の担い手は敬虔《けいけん》なプロテスタントだったわけで、マックス・ウェーバーによれば、彼らはキリストが教える隣人愛を貫くために厳しい倫理規範を守り、労働を尊びながら、産業活動で得た利益は社会の発展のために活《い》かすということを、モットーとしていたといいます。

したがって、事業活動においてはだれから見ても正しい方法で利益を追求しなくてはならず、また、その最終目的はあくまで社会のために役立てることにありました。

つまり世のため人のためという利他の精神が――私益よりも公益を図る心が――初期の資本主義の倫理規範となっていたわけです。

自らに向けては、おのれを律する厳しい倫理を、外に向けては、利他という大義を自分たちの義務としていたわけです。その結果、資本主義経済は急速に発展を遂げることができたのです。

同様のことを、わが国でも江戸中期の思想家・石田梅岩《ばいがん》が主張しています。当時は商業資本主義の勃興《ぼっこう》期にあたりますが、身分制度の下で商はもっとも下位に置かれ、商行為そのものが何か卑しいものとされる風潮がありました。

そのなかで梅岩は「商人の売利は士の禄《ろく》に同じ」と述べ、商人が利を得ることは武士が禄をはむのと同じ正当な行為であり、けっして恥ずべきことではないと、陰でさげすまれることの多かった商人を励ましています。

「利を求むるに道あり」という言葉がありますが、利潤追求はけっして罪悪ではない。ただし、その方法は人の道に沿ったものでなくてはならない。どんなことをしても儲《もう》かればいいというのではなく、利を得るにも人間として正しい道を踏まなくてはならないと、商いにおける倫理観の大切さを説いています。

「まことの商人は、先も立ち、われも立つことを思うなり」——これも梅岩の言葉ですが、要するに、相手にも自分にも利のあるようにするのが商いの極意であり、すなわちそこに「自利利他」の精神が含まれていなくてはならないと述べているわけです。

利他に徹すれば物事を見る視野も広がる

利を求める心は事業や人間活動の原動力となるものです。ですから、だれしも儲けたいという「欲」はあってもいい。しかしその欲を利己の範囲にのみとどまらせてはなりません。人にもよかれという「大欲」をもって公益を図ること。その利他の精神がめぐりめぐって自分にも利をもたらし、またその利を大きく広げもするのです。

会社を経営するという行為をとってみても、すでにそれだけでおのずと世のため、人のためになる「利他行」を含んでいるものです。

いまでこそ終身雇用制は崩れつつありますが、社員を雇うということは、その社員の面倒をほぼ一生涯にわたってみなくてはならない義務が生じることを意味します。ですから、五人であれ十人であれ、社員を雇用しているというだけで、すでに「人のため」になっているのです。

これは個人でも同じです。独身のときには、自分一人の生活をよくすることを最優先してきた人が、結婚をして家庭を築き、自分だけではなく奥さんのために働き、子どもも育て守っていこうとする。このときその人の行為には、やはり無意識のうちにも利他行が含まれているのです。

ただし気をつけなくてはならないのは、利己と利他はいつも裏腹の関係にあることです。つまり小さな単位における利他も、より大きな単位から見ると利己に転じてしまう。会社のため、家族のための行為には、たしかに利他の心が含まれているが、「自分の会社さえ儲かればいい」「自分の家族さえよければいい」と思ったとたんに、それはエゴへとすり替わり、また、そのレベルにとどまってしまうのです。

会社のためという「利他の行い」も、会社のことばかりだと、社会からは会社のエゴと見える。家族のためという個人レベルの利他も、家族しか目に入っていなければ、別の視点からすると家族という単位のエゴと映るかもしれない——したがって、そうした低いレベルの利他にとどまらないためには、より広い視点から物事を見る目を養い、大きな単位で自分の行いを相対化して見ることが大切になってきます。

たとえば会社だけ儲かればいいと考えるのではなく、取引先にも利益を上げてもらいたい、さらには消費者や株主、地域の利益にも貢献すべく経営を行う。また、個人よりも家族、家族より地域、地域より社会、さらには国や世界、地球や宇宙へと、利他の心を可能なかぎり広げ、高めていこうとする。

すると、おのずとより広い視野をもつことができ、周囲のさまざまな事象について目配りができるようになってくる。そうなると、客観的な正しい判断ができるようになり、失敗も回避できるようになってくるのです。

毎夜自らの心に問いかけた新規事業参入の動機

利他という「徳」は、困難を打ち破り、成功を呼ぶ強い原動力になる。そのことを、私は電気通信事業へ参入したときに体験しました。

いまではいくつかの企業が競合するのが常態となっていますが、一九八〇年代半ばまでは、国営事業である電電公社が通信分野のビジネスを独占していました。そこへ「健全な競争原理」を持ち込んで、諸外国に比べてひどく割高な通信料金を引き下げるべく自由化が決定されました。

それに伴って電電公社はＮＴＴへと民営化され、同時に電気通信事業への新規参入も可能になったのですが、それまで一手に事業を独占していた巨人に戦いをいどむわけですから、恐れをなしたのか、新規参入しようという企業がいっこうに現れません。このままでは官が民に変わったのも名ばかりで、健全な競争は起こらず、料金の値下げによって国民が恩恵を受けることはできなくなります。

それならばオレがやってやろうかという思いが、私の中に頭をもたげてきました。ベンチャー企業から身を起こしてきた京セラこそ、そのようなチャレンジにふさわしいのではないかと考えたのです。

相手がＮＴＴでは巨象にアリの不利な戦いであり、しかも業種が違う私たちにとってはまったく未知の分野である。けれども、そのまま傍観していたのでは競争原理が働かず、料金値下げという国民にとってのメリットは絵に描《か》いた餅《もち》に終わってしまう。ここはドン・キホーテを承知で私が手をあげるしかない。

しかし、私はすぐに名乗りを上げることはしなかった。というのも、そのとき私は、参入の動機に私心が混じっていないかを、自分に厳しく問うていたからです。参入を意図してからというもの、就寝前のひとときに毎晩欠かさず、

「おまえが電気通信事業に乗り出そうとするのは、ほんとうに国民のためを思ってのことか。会社や自分の利益を図ろうとする私心がそこに混じっていないか。あるいは、世間からよく見られたいというスタンドプレーではないか。その動機は一点の曇りもない純粋な

ものか……」

という自問自答を私はくり返しました。すなわち「動機善なりや、私心なかりしか」――ということを、何度も何度も自分の胸に問うては、その動機の真偽を自分に問いつづけたのです。

そして半年後、ようやく自分の心の中には少しも邪《よこしま》なものはないことを確信し、DDI（現・KDDI）の設立に踏み切ったのです。

フタを開けてみると、他にも二社が名乗りを上げましたが、そのなかでは、京セラを母体にしたDDIがもっとも不利だという前評判でした。無理もありません。私たちには通信事業の経験や技術がなく、通信ケーブルやアンテナなどのインフラも一から構築しなければならず、さらには販売代理店網もゼロという大きなハンデを抱えていたからです。

世のため人のためなら、すすんで損をしてみる

しかし、そのないないづくしの逆境をものともせず、DDIは営業開始直後から新規参入組のなかで、つねにトップの業績を上げて先頭を走りつづけることができました。その

理由を当時もいまも、人から尋ねられることが少なくありません。それに対して私の答えは一つ。国民のために役に立ちたいという私心なき動機がもたらした、ということしかありません。

DDIの創業当時から私は、「国民のために長距離電話料金を安くしよう」「たった一回しかない人生を意義あるものにしよう」「いまわれわれは百年に一度あるかないかという大きなチャンスを与えられている。その機会に恵まれたことに感謝し、このチャンスを活かそう」とことあるごとに従業員に訴えつづけてきました。

そのためDDIでは、従業員全員が自分たちの利益ではなく、国民のために役立つ仕事をするという純粋な志を共有するようになり、心からこの事業の成功を願い、懸命に仕事に打ち込んでくれた。それによって代理店の方々の応援も得られ、ひいては広範なお客さまの支持を獲得することもできたのです。

DDIの創業後しばらくして、私は一般の従業員にも額面で株式を購入できる機会を与えました。DDIが成長発展を重ね、いずれ上場を果たしたときに、キャピタルゲインをもって従業員の懸命の努力に報い、また私からの感謝の思いを表したいと考えたからです。

その一方、創業者である私自身は、もっとも多くの株式を持つことも可能であったわけですが、実際には一株も持つことはありませんでした。それはＤＤＩの創業にあたり、いっさいの私心もはさんではならないと考えていたからです。

もし私がそのとき一株でも持っていたら、やっぱり金儲けのためかといわれても反論できなかったでしょう。また、ＤＤＩのその後の足どりも、また違ったものになったにちがいありません。

携帯電話事業（現在のａｕ）を始めたときも、似たような経験をしました。ＤＤＩの事業を始めたときから、私は携帯電話市場の将来性を確信しており、その普及が国民の生活の利便におおいに寄与するであろうと考えてきました。そこで同事業への参入も図ったのですが、ここにも大きな問題が出てきました。

ＤＤＩに続いてもう一社が参入に名乗りを上げたのです。周波数の関係から、同じ地域ではＮＴＴ以外には一社しか営業できないという制約があったため、新参の二社で事業区域を二つに分けなくてはならなくなってしまいました。

事業の収益性を考えれば、どっちも人口の集中する首都圏区域が欲しいから、なかなか合意が成立しません。私は公平に抽選で決めればいいと提案しましたが、これほどの事業をクジ引きで決めるとは不謹慎だと、当時の郵政省からたしなめられてしまいました。

しかし、このままいつまでも先の見えない綱引きをしていては、らちが明かない。ここで一方が譲らなければ、移動体通信事業そのものが日本に根づかなくなってしまうかもしれない――そう考えた私は、首都圏と中部圏という、もっとも大きな市場を相手に譲って、自分たちはその残りの地域を取ることにしました。

不利な条件を自ら申し出たかたちになり、ＤＤＩの役員会では、まんじゅうのアンコは相手にやって、こっちは皮だけ食うつもりかとあきれられましたが、私は損して得とれ、負けて勝つという言葉もある。みんなでがんばってまんじゅうの皮を黄金の皮にしようと説得して、何とか事業をスタートさせたのです。

けれども、いざ事業を開始してみれば、予想に反してわれわれの業績はどんどん伸びていきました。現在ではａｕとなってＮＴＴドコモとしのぎを削っているのは、ご存じのとおりです。

ＤＤＩとａｕの成功は、世のため人のために役立ちたいという考え方が天祐《てんゆう》を招いたものであり、動機善であれば、かならずや事はなるということの証明にほかならない。私はそう考えています。

事業の利益は預かりもの、社会貢献に使え

京セラの経営理念は、「全従業員の物心両面の幸福を追求すると同時に、人類社会の進歩発展に貢献する」というものです。企業経営の目的は、まず第一に、そこで働く人たちの生活と幸福を実現することにある。しかしそれだけなら、一私企業の利益を計るだけのエゴにとどまってしまう。企業には社会の公器として、世のため人のために尽くす責務もある。

そこで後段のくだりもでき上がったのです。これは利己の経営から利他の経営へという、経営理念の広がりを表している言葉でもあります。

創業まもないころから、私はこのような経営を心がけてきました。創業から数年後、会社の基礎も固まってきたころ、私は暮れのボーナスを社員一人ひとりに手渡したあと、その一部を社会のために寄付することも考えたらどうかと提案しました。社員全員から少しずつお金を出してもらい、それと同額のお金を会社からも提供して、それをお正月にお餅も買えないような貧しい人へ寄付しようと提案したのです。

従業員はそれに賛同してくれ、ボーナスの一部を快く寄付してくれました。これが、今

日京セラが行っているさまざまな社会貢献事業のさきがけとなり、その精神はいまも変わることなく生きています。

つまり自分たちの汗の結晶を、その一部でいいから他人のためにも使って、社会のために役立ててもらおうという利他の精神の実践に、創業まもないころから努めてきたのです。

私も、個人として「世のため人のために役立つことをなすことが、人間として最高の行為である」という信念から、一九八五年に「京都賞」を創設しました。私が持っていた京セラの株式や現金など二百億円を拠出して稲盛財団をつくり、先端技術、基礎科学、思想・芸術の各分野ですばらしい業績を上げ、多大な貢献を果たした人たちを選んで顕彰、その功績をたたえようという趣旨で始めたもので、現在では、ノーベル賞に匹敵する国際賞として高く評価していただけるようになっています。

京セラの発展の結果、思いがけずふえた私の資産は、社会の多くの人たちの支援や尽力を得てもたらされたものなのだから、それを私物化してはいけない。社会からちょうだいした、あるいは社会から預かった資産は、社会に役立つかたちで還元するのが筋である――そう考えて設立したものです。したがって、この京都賞は社会への恩返しであると同時に、私の利他の哲学の実践でもあるわけです。

このような社会慈善事業を評価していただき、二〇〇三年には、カーネギー協会から「アンドリュー・カーネギー博愛賞」をいただきました。過去の受賞者にはビル・ゲイツやジョージ・ソロス、テッド・ターナーなど世界的な慈善家が名を連ねており、日本人では初めての受賞とのことでたいへん名誉なことでしたが、その授賞式のスピーチで、私は次のような内容のことをお話ししました。

「私は仕事一辺倒で、京セラとKDDIという二つの企業をつくりましたが、幸いにも予想を上回る発展を見せ、図らずも私は大きな資産をもつに至りました。しかし、私は『個人の富は、社会の利益のために使われるべきだ』というアンドリュー・カーネギーが残した言葉に深い共感を覚えます。私自身もかねてからそのような考えをもっていただけに、天からいただいた富は、世のため人のために使っていくべきだと考え、さまざまな社会事業、慈善事業を手がけてきたのです」

「利を求むるに道あり」と先に述べましたが、「財を散ずるに道あり」だとも思います。お金は儲けるより使うほうがむずかしいといいます。利他の精神で得たお金はやはり利他の精神で使うべきであり、そうやって財を「正しく」散じることでわずかながらでも社会貢献を果たしていきたいと考えています。

日本よ、「富国有徳」を国是とせよ

物事というのは、善意で考えるのと悪意で考えるのとでは、おのずからたどり着くところが違ってくるものです。

たとえば人と議論するにしても、何とかやり込めてやろう、悪いのは相手のほうだから、その非を認めさせてやろうと思ってやるのと、相手も困っているだろうから、いい解決策をいっしょに考えようと思ってやるのとでは、同じ問題を扱っても結論は異なってきます。相手に対する「思いやり」のあるなしがその差を生むのです。

以前、日本市場の閉鎖性をめぐって日米関係がぎくしゃくしていたころ、私は両国間が抱えるさまざまな課題について、民間人を中心に率直に話し合う「日米21世紀委員会」という場をつくり、少しでも日米の関係をよくしようと働きかけたことがあります。

その際、私が提案したのが、互いに相手の非をとがめ合うような敵対的な議論はやめようということでした。相手の事情や背景を考慮せず、そっちが悪い、いや、おまえこそ譲歩せよとやったのでは、まとまる話もまとまらない。損得や議論に勝つことだけを目的とした話し合いはかならず不毛に終わり、より不信感を募らせる結果になってしまう。

ですから、まず相手の立場を尊重する姿勢、おのれの意見だけに固執せず相手の考えも十分に思いやる気持ち、そうした利他の心をベースとして話し合いを進めようではないか――そう提案したのです。

また、もし必要とあらば日本が率先して譲歩すべきだ。私はそうも述べました。なぜなら戦後の日本はアメリカからの多大な恩恵――食糧や技術を惜しげもなく提供してくれたこと、あるいは日本製品に巨大なマーケットを開放してくれたことなど――によって復興、成長してきたからです。

それがアメリカの世界戦略の一環であったとしても、彼らが私たちにひどく寛容であったことは事実です。ならば今度は、こちらが相手に対して「思いやり」を見せ、譲歩すべきは譲歩する寛容さ、利他の心を身につけることが〝経済大国〟となった日本の責務ではないかと考えたのです。

この委員会では、そのような趣旨に基づいて二年間にわたり議論を続け、日米両国政府に提言書を提出しました。

これからの「この国のかたち」をデザインするうえで、大きなキーワードとなるものは、この思いやりの精神とともに、徳をベースにした国づくりでしょう。

以前、国際日本文化研究センターの川勝平太教授が、「富国有徳」ということをいわれたことがありました。

富でなく徳による立国。あるいは豊かな富の力を活かして、徳をもって他人や他国に報いるという国のあり方を提言したのです。武力や経済力でなく、徳をもって他国に「善《よ》きこと」をなし、信頼と尊敬を得る。

私もそのような徳を国是のベースに据えるべきだと思うのです。それこそが、自国の利益のみを追求することで、手痛いしっぺ返しを食らってきた日本が他国にさきがけて率先垂範すべきことなのです。

日本がめざすべきは、経済大国でも軍事大国でもなく、こうした徳に基づいた国づくりではないでしょうか。ソロバン勘定に長《た》けた国でもなく、軍事力の誇示に忙しい国でもなく、徳という人間の崇高な精神を国家理念の土台にして世界に接していく。

そういう国家になったとき、日本は国際社会からほんとうに必要とされ、尊敬される国となるはずです。また、そういう国を侵略しようとする輩《やから》もいないでしょう。そういう意味では、最善の安全保障政策でもあるはずです。

このまっとうな「美徳」を忘れてしまっていないか

このことについて、中国革命の父である孫文《そんぶん》が、一九二四年に神戸で行った有名な講演があります。その講演の中で、孫文は欧米の文化と東洋の文化を比較した「王道と覇道」という話に言及しています。

武力によって人を支配する文化は欧米に源流をもち、それを中国の古い言葉では覇道といいます。それに対し、王道は東洋に連綿と流れるもので、徳に基づいて人々を導こうとするものです。

孫文は、軍備拡張、領土拡大に傾斜する当時の日本に、「覇道」ではなく「王道」を選ぶべきだと説いたのですが、残念ながら日本は覇道を歩み、第二次世界大戦へとまっすぐに突き進んでしまった。そして終戦後は近年に至るまで、経済による覇権主義をとってきたのです。

しかし、これからは国も人も、思いやりや利他という心の「徳」に根ざした王道的な生き方を基軸にしていかなければ、日本はまたもや大きな過ちを犯しかねない。私はそう危《き》惧《ぐ》しているのです。

天台宗には「忘己利他《もうこりた》」という言葉があります。読んで字のごとし。自分のことを忘れて、人さまのために尽くすという仏の教えのことです。音で聞けば「もう懲りた」とも聞こえますから、「物欲を追求することはもう懲りた。今後は、自分のことはさておいて、人さまのために尽くしていかなくてはいけない」と理解すべきだと、かつて天台宗の座主《ざす》であられた山田恵諦《えたい》さんから教えていただいたことがあります。

こういうことを私が強調するのは、思いやりとか利他といった美徳が、いまの日本社会からすっかり失われてしまったという気が強くするからです。

思いやりや利他の心が忘れさられてしまえば、残るのはおのれの欲望だけです。そのような利己的欲望を容認し、放任してきた結果が、昨今の世相に表れているのではないでしょうか。

以前、十九歳の少年が一家四人を惨殺する事件を起こして、その罪の重大さから未成年でありながら死刑判決を受けたことがありました。その少年は法を勝手に自己解釈して、未成年だから何をやっても死刑にはならないだろうと踏んだ確信犯のようでした。

それについて、事件を報道したある雑誌記者は、「もし、少年が法律をもっとよく知っていたなら、この事件は起きなかったかもしれない」と書いていました。しかし少年が知っておくべきは法律の前に、人を殺してはならないという根本的な道徳律、倫理観であるはずです。人を殺してはならない、人を傷つけてはならないというのは法律論ではなく、まさに人の生き方、つまり道徳論の範疇《はんちゅう》なのですから。

いまこそ道徳に基づいた人格教育へとシフトせよ

なぜ、私たちはそれほど根源的な道徳規範を失ってしまったのか。人を思いやる心、利他の心を忘れてしまったのか。その答えは簡単です。要するに、大人が子どもにそれを教えてこなかったからです。戦後およそ六十年がたっていますから、いま生きている多くの日本人は道徳について何も教えられていないといっていいでしょう。私は戦前の教育を受けた人間なので、そのことがよくわかります。

自主性の尊重を放任と拡大解釈し、自由ばかり多く与えて、自由と対をなす人間として果たすべき義務については、ほとんど教えてこなかった。人間として備えるべき当たり前の道徳、社会生活を営むうえでの最低限必要なルールを身につけることを、私たちはひどくおろそかにしてきたといえます。

昔から、そういった生きる指針となる哲学というものを人々に教えてくれていたのは、仏教やキリスト教に代表される宗教でした。これらの宗教の教えは人々が生活を営むうえでの道徳、規範となっていました。

隠れて悪いことをしても、神仏はすべてお見通しだからその報いは必ず受けなくてはならない。また人知れず善行を積んでいる人を神仏は見捨てたりはしない——こうした観念が信仰によってもたらされ、そこから、「人間として正しいこととは何か」ということを考えざるをえなかった。

しかし近代の日本では、科学文明の発達に伴い、こうした宗教はないがしろにされてしまいました。それに伴って、人間としてあるべき姿を指し示す道徳、倫理、哲学、そういったものさえも、しだいに忘れ去られてしまったのです。

哲学者の梅原猛先生が「道徳の欠如の根底には宗教の不在がある」とおっしゃっていますが、私もまったく同感です。とくに戦後の日本社会では、戦前の国家神道を核とした思想統制の反動から、道徳や倫理がふだんの生活や教育の場から排除される傾向が強まったからです。

昨今でも、総合教育を謳《うた》いながら、道徳による人格教育をしようという動きはあまり見られません。加えて「個性教育」を重視するあまり、人間として身につけるべき最低限のルールやモラルをきちんと教えない。幼稚園でも「自由な教育」を標榜《ひょうぼう》し、物心もつかない幼児たちを放任してしまう。それでは、大人になるまでに必要な最低限のルールさえ身につける機会がありません。

まだ心身ともに成長過程にある少年期にこそ、「人間としてどう生きるべきか」を学び、じっくりと考える機会を与えることが必要なのではないでしょうか。

また、学校教育では「正しい職業観」も指導すべきだと思います。

現在の日本には、学業のできる子どもと苦手な子どもを選《よ》り分けして、前者を優遇するという学歴社会ができ上がっており、そのことが若者の労働観をずいぶんゆがんだものにしています。いい成績を上げて官公庁や大企業に入ることをよしとして、手先が器用であるとか、人と接するのが得意であるといった、学業以外の特性は置きざりにされているのです。

こういう現状を正すためにも、たとえば小学生のときから、世の中にはこれだけの多くの職業があり、それぞれの分野でたくさんの人が懸命に働いている、だからこそ社会や人間の暮らしが成り立っているのだということを教えていく。そこから理髪師になりたい子どもには、どんな学校へ進んで、どのような資格をとればいいのかといった実用的な知識も授けていく。そういう職業教育も施すべきです。

宮大工の例を前章であげましたが、大工に限らず家具職人、縫製師、あるいはお百姓や漁師など、どんな職業であってもその仕事に打ち込むことが心を磨き、人格を高めることに通じます。そのような働くことの意義、つまり正しい職業観を教えてあげるのも、教育の大きな役目であるはずです。

同じ歴史をくり返すな、新しい日本を築け

日本という国は近代に入って以降、約四十年の周期で大きな節目を迎えてきました。

①一八六八年——それまでの封建社会から脱し、明治維新によって近代国家を樹立。「坂の上の雲」をめざして富国強兵の道を走りはじめる。

②一九〇五年——日露戦争に勝利。世界の列強に仲間入りし、国際的地位を飛躍的に向上させる。以後、富国強兵、とりわけ「強兵」の方向に傾斜して、軍事大国の道をまっしぐらに突き進む。

③一九四五年——第二次世界大戦に敗戦。焦土の中から、今度は「富国」の方向へと大きく舵《かじ》を切り、奇跡的な経済成長を遂げる。

④一九八五年——日本の莫大《ばくだい》な貿易黒字に歯止めをかけるべく、円高誘導、輸入促進を目的にプラザ合意が結ばれる。このころ、日本は経済大国としてのピークを迎え、バブル崩壊後は、現在まで低迷期が続く。

この四十年ごとの盛衰サイクルを見てみると、私たちの国はこれまで一貫して、つねに物質的な豊かさを追い求め、他国との競争をくり返してきたことがよくわかります。ことに戦後は、経済成長至上主義のもと、企業も個人も利や富を求め、それをふやすことに熱心でした。

社会、経済の停滞が続き、ドラスティックな発想転換の必要性がいわれているいまでも、この事情はあまり変わっていません。ＧＤＰのコンマ何パーセントかの変動に一喜一憂するような、右肩上がりの思想をほとんど唯一の「善」として、私たちの多くはいまだに上へ、先へと急ごうとしているのです。

それは、欲望という煩悩を原動力にして、優勝劣敗の競争原理のもと、物質的豊かさを最優先させる覇道の哲学といえます。いわば「利を求めて道なし」であり、そうした国のあり方、個人の生き方から、私たちはまだ抜け出せていません。

しかし、そのような価値観だけでは、もはやたちゆかなくなっていることは明白です。これまでのような経済成長の中に国のアイデンティティを見いだしていくやり方では、再びこの四十年ごとの盛衰サイクルをいたずらにくり返すばかりで、敗戦に匹敵するほどの〝次の大きなどん底〟に向けて下降線を描いていく、その速度に歯止めをかけることはむずかしくなるはずです。

国や自治体の財政赤字の増大、遅々として進まない行財政改革、少子高齢化に伴う社会活力の低下など、その兆候はすでに明らかになっています。このまま手をこまねいていては、次の四十年後の二〇二五年ごろには、希望的な将来像を描くどころか、国そのものが滅びてしまいかねない危機もはらんでいるのです。

いまこそ経済成長至上主義に代わる新しい国の理念、個人の生き方の指針を打ち立てる必要があります。それはまた一国の経済問題にとどまらない、国際社会や地球環境にもかかわってくるきわめて大きな喫緊の課題でもあります。なぜなら、人間の飽くなき欲望をベースに際限なく成長と消費を求めるやり方を改めないかぎり、有限な地球資源やエネルギーが枯渇するだけでなく、地球環境そのものが破壊されかねないからです。

つまりこのままでは、日本という国が破綻《はたん》してしまうだけでなく、人間は自分たちの住処《すみか》である地球そのものを自分たちの手で壊してしまうことになりかねない。それと知って、あるいはそれと気づかず、沈みゆく船の中で、なお奢侈《しゃし》を求め、飽食を楽しむ——私たちはその行為のむなしさ、危うさに一刻も早く気づき、新しい哲学のもとに新しい海図を描く必要があるのです。

自然の理に学ぶ「足るを知る」という生き方

では、新しい哲学を何に求めたらいいのでしょうか。

私は、これからの日本と日本人が生き方の根に据えるべき哲学をひと言でいうなら、「足るを知る」ということであろうと思います。また、その知足の心がもたらす、感謝と謙虚さをベースにした、他人を思いやる利他の行いであろうと思います。

この足るを知る生き方のモデルは、自然界にあります。ある植物を草食動物が食べ、その草食動物を肉食動物が食べ、肉食動物の糞《ふん》や屍《しかばね》は土に返って植物を育てる……弱肉強食が掟《おきて》の動植物の世界も、大きな視点から見ると、このように「調和的な」命の連鎖の輪の中にあるのです。

したがって人間とは異なり、動物はその輪を自ら壊すようなことをしません。草食動物が欲望のおもむくまま植物を食べ尽くせば、そこで連鎖は断ち切られ、自分たちの生存はおろか、あとに続く生物も危機にさらされてしまいます。そのため彼らには、必要以上にはむさぼらないという節度が本能的に備わっています。

ライオンも満腹のときは獲物をとりません。それは本能であり、同時に創造主が与えた「足るを知る」という生き方でもあります。その知足の生き方を身につけているからこそ、自然界は調和と安定を長く保ってきたわけです。

人間も、この自然のもつ「節度」を見習うべきではないでしょうか。もともと人間も自然界の住人であり、かつては、その自然の摂理をよく理解し、自分たちも生命の連鎖の中で生きていたはずです。それがやがて、食物連鎖のくびきから解き放たれ、人間だけが循環の法則の外へ出ることが可能になった。そして同時に、他の生物と共存を図るという謙虚さも失ってしまったのです。

自然界において、人間だけがもつ「高度な」知性は、食糧や工業製品の大量生産を可能にし、それを効率化するさまざまな技術も発展させせましたが、やがてその知性は傲慢《ごうまん》へと変わり、自然を支配したいという欲望を肥大させていきました。同時に、足るを知るという節度の壁も消えて、もっと欲しい、もっと豊かになりたいというエゴが前面に押し出され、ついには地球環境をも脅かすほどの状況に陥ってしまったわけです。

人類が目覚めたとき「利他」の文明が花開く

私たちが地球という船もろともに沈んでおぼれないためには、もう一度、必要以上に求めないという自然の節度を取り戻すほかはありません。神が人間だけに与えた知性を真の叡智《えいち》とすべく、自らの欲望をコントロールする術《すべ》を身につけなくてはならないのです。

すなわち「足るを知る」心、その生き方の実践が必要になってきます。いまもっているもので足りる心がなかったら、さらに欲しいと思っているものを手に入れたところで、けっして満足することはできないはずです。

これ以上、経済的な富のみを追い求めるのはやめるべきです。国や個人の目標を物質的な豊かさだけに求めるのではなく、今後はどうすればみんなが心豊かに暮らしていけるかという方向を模索すべきです。

それが老子のいう、「足るを知る者は富めり」という「知足」の生き方です。欲しいものが手に入らないときは、手に入るものを欲しがれという格言もあります。「満足こそ賢者の石」。知足にこそ人間の安定があるという考え方や生き方を、私たちは実践していく必要があるのです。

つまり私欲はほどほどにし、少し不足くらいのところで満ち足りて、残りは他と共有するやさしい気持ち。あるいは他に与え、他を満たす思いやりの心。甘いといわれようが、絵空事といわれようが、私はそのような考え方が必ず日本を救い、大きくいえば地球を救うと信じています。

ただし知足の生き方とは、けっして現状に満足して、何の新しい試みもなされなかったり、停滞感や虚脱感に満ちた老成したような生き方のことではありません。

経済のあり方にたとえれば、ＧＤＰの総額は変わらないが、その中身、つまり産業構造自体は次々と変わっていく。古い産業が滅んでも、つねに新しい産業が芽生えていくようなダイナミズムを有したあり方です。すなわち、人間の叡智により新しいものが次々に生まれ、健全な新陳代謝が間断なく行われる、活力と創造性に満ちた生き方。イメージとしてはそういうものです。

そのようなあり方が実現できたとき、私たちは成長から成熟へ、競争から共生へという、現在はやや画餅《がべい》に近いスローガンを現実のものにし、調和の道を歩き出すことができるのではないでしょうか。

さらにそのとき、利他という徳を動機にした新しい文明が生まれてくるかもしれません。つまり、もっと楽をしたい、もっとおいしいものを食べたい、もっと儲けたいという人間の欲望がいまの文明を築き上げる動機になっていますが、新しい時代においては、もっと相手をよくしてあげたい、もっと他人を幸せにしてあげたいという、思いやりや「愛」をベースにした利他の文明が花開くかもしれないのです。

それがどのような形態や内容をもつものか、私は十分には知ることができませんし、それこそ絵に描いた餅で終わってしまう白昼夢の類《たぐ》いかもしれません。

しかし何度もいいますが、そこへ達することより、そこへ達しようと努めることが大切なのです。そうであることより、そうであろうとする日々が私たちの心を磨きます。そのようにして私たちの心が高まっていけば、知足利他の社会へ至る道程も、そう遠いものではないはずです。

第5章 宇宙の流れと調和する

人生をつかさどる見えざる大きな二つの力

人生には、それを大本で統御している「見えざる手」がある。しかもそれは二つあると私は考えています。

一つは、運命です。人はそれぞれ固有の運命をもってこの世に生まれ、それがどのようなものであるかを知ることができないまま、運命に導かれ、あるいは促されて人生を生きていく。異論のある方もおられるでしょうが、私はこの運命の存在は厳然たる事実であると考えています。

人は、たしかに自らの意思や思惑の届かない大きな「何か」に支配されている。それは人間の喜怒哀楽をよそに、大河のごとく一生を貫いてとうとうと流れ、いっときも休みなく私たちを大海に向けて運びつづけています。

では、人間は運命の前ではまったく無力なのか。そうではないと思います。もう一つ、人生を根本のところでつかさどっている、見えない大きな手があるからです。それが「因果応報の法則」です。

つまり、よいことをすればよい結果が生じ、悪いことをすれば悪い結果が生まれる。善因は善果を生み、悪因は悪果を生むという、原因と結果をまっすぐに結びつける単純明快な「掟《おきて》」のことです。

私たちに起こるすべての事柄には、かならずそうなった原因があります。それはほかならぬ自分の思いや行いであり、その思念や行為のすべてが因となって果を生んでいく。あなたがいま何かを思い、何かを行えば、それらはすべて原因となって、かならず何らかの結果につながっていきます。また、その結果についての対応が、再び次の事象への原因と化していく。この因果律の無限のサイクルもまた、私たちの人生を支配している摂理なのです。

第1章で「心が呼ばないものは近づいてこない」、すなわち人生は心が思い描いたとおりのものであるということを述べましたが、それもこの因果応報の法則によるものです。私たちの思ったこと、行ったことが種となって、そのとおりの現実をもたらすからです。

また第3章で、心を磨き、高めることの大切さを強調したのも、この因果律に従えば、高められた善《よ》き心というものが、善き人生をもたらす要因となるからにほかなりません。

運命と因果律。その二つの大きな原理がだれの人生をも支配している。運命を縦糸、因果応報の法則を横糸として、私たちの人生という布は織られているわけです。

人生が運命どおりにいかないのは、因果律のもつ力がそこに働くからです。しかし一方で、善行がかならずしもすぐに善果につながらないのは、そこに運命が干渉してくるからなのです。

ここで大事なのは、因果応報の法則のほうが運命よりも若干強いということです。人生を律するこれら二つの力の間にも力学があって、因果律のもつ力のほうが運命のもつ力をわずかに上回っている。そのため私たちは、もって生まれた運命でさえも――因果応報の法則を使うことで――変えていくことができるのです。

したがって、善きことを思い、善きことを行うことによって、運命の流れを善き方向に変えることができる。人間は運命に支配される一方で、自らの善思善行によって、運命を変えていける存在でもあるのです。

因果応報の法則を知れば運命も変えられる

運命は宿命にあらず、因果応報の法則によって変えることができる――これは私が勝手に考えたことではありません。多くの政治家や経済人に多大な影響を与えた思想家・安岡正篤《まさひろ》さんが、中国の古典『陰騭録《いんしつろく》』をひもとかれた著作を通じて学んだことです。『陰騭録』は明《みん》代にまとめられた書で、袁了凡《えんりょうぼん》という人物に関する話を紹介しています。

袁了凡は、代々医術を家業とする家に生まれ、早くに父を亡くしたため母の手で育てられました。家業を継ぐべく医学を学んでいた少年のころ、突然、一人の老人が訪ねてきて、私は理法（易学）を究めた者だが、天命に従って、あなたに易学の真髄を伝えにきたと告げます。老人はさらに母親に向かって、

「お母さんはこの子を医者にしようとお考えかもしれないが、彼はその道をたどりません。長ずるに及んで、科挙の試験を受け、役人となるでしょう」

といい、何歳のときに何の試験を受け、何人中何番で合格するかということだけでなく、若くして地方の長官に任ぜられ、たいへんな出世をすること、結婚しても子どもはできないこと、さらに五十三歳で亡くなることなど、少年の運命を次々に予告します。

その後、了凡の人生はすべてこの予言どおりのものとなっていきます。そして地方長官となった了凡は、あるとき名高い老師がいる禅寺を訪ね、ともに座禅を組みます。それが無念無想のすばらしいものであったため、老師が感心して、

「一点の曇りもない、すばらしい禅を組まれる。いったいどこで修行をなされたのか」

と尋ねます。了凡は修行の経験などないことを語り、さらに少年のころ出会った老人の話をします。

「私はその老人の言葉どおりの人生を歩んできました。やがて五十三歳で死ぬのも、私の運命でしょう。だから、いまさら思い悩むこともないのです」

しかし、それを聞いた老師は了凡を一喝します。

「若くして悟達の境地を得た人物かと思えば、実は大バカ者であったか。ただ運命に従順であるのがあなたの人生か。運命は天与のものであるが、けっして人為によって変えられない不動のものではない。善きことを思い、善きことをなしていけば、あなたのこれからの人生は運命を超えて、さらにすばらしい方向へ変わっていくはずだ」

と因果応報の法則を説いたのです。了凡はその言葉を素直に聞いて、以後、悪いことをなさぬよう心がけ、善行を積んでいきました。その結果、できないといわれた子どもにも恵まれ、また寿命のほうも予言された年齢をはるかに超えて、「天寿」をまっとうしたのです。

このように、天が決めた運命もおのれの力で変えられる。善き思い、行いを重ねていけば、そこに因果応報の法則が働いて、私たちは運命に定められた以上の善き人生を生きることが可能なのです。それが「立命」であると安岡さんもおっしゃっています。

しかし現実には、この摂理や法則を信じる人は多くありません。むしろ非科学的だと一笑に付す人のほうがはるかに多い。近代的知性に照らせば、運命など迷信の類《たぐ》いであり、因果応報も、「悪いことをすればバチが当たるぞ」という、子どもだましの道徳的方便に卑小化されているにすぎません。もちろんいまの科学水準では、その見えざる手の存在を証明する手だてもない。

もし、よい行いがいつでもすぐによい結果となって表れれば、人はなるほどそうかと是非もなくそれを信じるかもしれませんが、原因がすぐさま結果に結びつくことは、ほとんどない。今日よいことをしたから明日よいことが起こるというわけには、なかなかいかないのです。

また1＋1の答えが明らかに2であるように、Bという結果になったのはAという原因があったからだと、その因果関係が明瞭《めいりょう》なかたちで現れることも少ない。なぜなら、さっきも述べたように、運命と因果応報の法則は互いに綾《あや》をなすようにして、われわれの人生を支配しているからです。

それらは相互に干渉しあい、たとえば運命的にたいへん悪い時期に少しくらいよいことをしても、運命の強さにわずかばかりの善行が打ち消されて、よい結果には結びつかない。同様に、運命的に非常によい時期に少々悪いことをしても、なかなか悪因悪果とはならない――そういうことがしばしば起こるからです。

結果を焦るな、因果の帳尻はきちんと合う

因果応報の法則というものが見えづらく、それゆえに容易に信じることができないのは、物事を短いスパンでしかとらえていないからです。ある思いや行いが結果として表れてくるには、やはりそれ相応の時間がかかり、二年や三年といった短い単位では結果は出にくいものなのです。

しかし、それも二十年、三十年といった長い単位で見れば、きちんと因果の帳尻《ちょうじり》は合っているものです。私も事業を始めて四十年以上がたち、その間、さまざまな人物のさまざまな盛衰を見てきましたが、やはり三十年、四十年というスパンで見てみると、ほとんどの人が日ごろの行いや生き方にふさわしい報果を、それぞれの人生から得ているのです。

長い目で見れば、誠実で善行を惜しまない人物がいつまでも不遇にとどまることはない

し、怠け者でいい加減な生き方をしている人がずっと栄えていることもありません。

たしかに、何か悪い行いをした人がまぐれや勢いでうまくいったり、善きことに努めた人が一時的な不運に見舞われて低迷したりすることもありますが、それも時間がたつうちにだんだんと修正されて、やがてみんながそれぞれの言動や生き方にふさわしい結果を得、その「人間」に見合った境遇に落ち着いていくものです。

それは怖いくらいにそうなっていて、原因と結果がピシッと等号で結ばれていることがよくわかります。短期的にはともかく、長期的にはかならず善因は善果に通じ、悪因は悪果を呼んで、因果のつじつまはしっかりと合うようにできているのです。

京セラは数年前、経営難に陥ったコピー機メーカーの三田工業を支援し、新会社「京セラミタ」を設立して、その再建に乗り出しました。業績はその後着実に改善し、莫大《ばくだい》な債務も予定よりずっと早く返済することができ、いまでは京セラグループの事業の柱の一つになっています。

この再建には、京セラの情報機器部門の本部長をしていた人物が、多大な貢献を果たしてくれました。彼は京セラミタの社長を務め、その再建を担当してくれたのですが、実はずっと以前、ある新進の通信機器メーカーで工場長をしていたことがありました。

その企業は当時、おりからのブームに乗って急成長したのですが、ブームの退潮とともに業績も悪化。支援依頼を受けて、京セラはこの企業をグループの一員として救済することになりました。もう二十年以上も前のことです。

その再建の苦労は生半可なものではありませんでした。加えて、従業員の一部に過激な労働組合員がいて、彼らからさまざまな無理難題を突きつけられたり、私の自宅にまで押しかけられ悪質な誹謗《ひぼう》中傷を受けるなど、私自身もずいぶん不愉快な思いをし、京セラも大きなダメージを受けたのです。

窮地に陥った会社や従業員を救ったにもかかわらず、そのようなひどい苦労も強いられ、私はただ必死に耐えていた。しかしそうしているうちに、やがて多くの従業員が理解を示してくれ、京セラに助けられた、稲盛に救われたと感謝してくれるようになりました。

そのうちの一人が、先ほどの京セラミタの初代社長です。彼はかつて救われた身から、今度は会社を救う側に回ったわけです。その彼が、しみじみと感慨をもらしたことがあります。

「救われた人間が、今度は救う側に回る。私は運命のめぐり合わせを感じないわけにはいきません。あのとき受けたご恩を、三田工業を再建することによって返すチャンスがめぐってきたのです。その喜びをいま感じています」

それを聞いて、私もつくづく実感しました。長い目で見れば、やっぱり「因果はめぐる」のだと。善行が悪果で終わることはない。一時はひどい苦労を強いられているようにも見えたが、結局、再建にも成功し、従業員からも感謝された。そして、その「善の循環」の輪は、さらに広がっていくだろうと確信したのです。

「善を為《な》すもその益を見ざるは、草裡《そうり》の東瓜《とうか》のごとし」と中国明《みん》代の『菜根譚《さいこんたん》』にあります。善行をしても、その報いが現れないのは、草むらの中の瓜《うり》のようなものである。それは人の目には見えなくても、おのずと立派に成長しているものなのです。

因果が応報するには時間がかかる。このことを心して、結果を焦らず、日ごろから倦《う》まず弛《たゆ》まず、地道に善行を積み重ねるよう努めることが大切なのです。

森羅万象を絶え間なく成長させる宇宙の流れ

因果応報の法則が成り立つのは、それが自然の摂理に沿ったものであるからです。長いスパンで見たら、善因が悪果を招いたり、悪因が善果を呼ぶような因果のねじれは起こらず、すべて善因善果、悪因悪果と順説でつながるのは、それがそのまま天の理《ことわり》や意に沿ったものであるからなのです。

このことは宇宙創成の過程を考えてみても明らかです。ものすごい高温、高圧の素粒子のかたまりが、百三十億年ほど前に大爆発を起こしてこの宇宙をつくり、それはいま現在もなお膨張しつづけている――これがビッグバン理論で、現在の宇宙物理学ではほぼ定説となっている考え方です。

あたかも宇宙自体が一つの生命体のように、果てしなく成長（膨張）しつづけているともいえますが、その成長のあらましは、次のようになります。

物質を形づくっているのは原子ですが、その原子の核（原子核）は陽子、中性子、中間子で構成されています。さらにその陽子や中性子を壊してみると、そこから素粒子が出てくる。物質を突き詰めていくと、このように素粒子に還元されることがわかります。

つまり、宇宙の始まりにあたり、まずビッグバンで素粒子同士が結合した。それによって陽子や中性子、中間子が生まれ、それが原子核を形成して電子を取り込み、原子が生まれる。さらに、核融合を通じて多種の原子が生まれ、その原子同士が結合して分子をつくる。その分子がまた結合して高分子を形成し、高分子はＤＮＡという遺伝子を取り込んで、

「生命」を誕生させた。

さらに、その原始的な生命が気の遠くなるような年月を経て進化を重ね、やがて人類のような高度な生物を生み出すに至った――いってみれば宇宙の歴史とは、素粒子から高等生命体へと進化発展する、ダイナミックな過程であるともいえます。

では、なぜそのような進化が起こったのでしょうか。原初に存在していた素粒子は、素粒子のままでもよかったのではないでしょうか。あるいは原子の段階で止まってしまうという選択肢もあったはずです。それがなぜ、いっときの休みもなく、次々に生成発展をくり返して、人類という高等生物にまで進化してきたのか。

偶然の重なりによるという考え方もあります。しかし、その営々とした成長進化が単なる偶然によって引き起こされ、まったく無目的に行われてきたと考えるのは、むしろ不自然です。それよりも、天の意に基づいて必然的に行われてきたと考えるほうが理にかなっている、私にはそう思えます。

つまり宇宙には、一瞬たりとも停滞することなく、すべてのものを生成発展させてやまない意志と力、もしくは気やエネルギーの流れのようなものが存在する。しかもそれは「善意」によるものであり、人間をはじめとする生物から無生物に至るまで、いっさいを

「善き方向」へ向かわせようとしている。

よいことをすれば、よいことが起こる因果応報の法則が成立するのも、また、素粒子が素粒子のままとどまらず、原子、分子、高分子と結合をくり返し、いまもなお進化をやめないでいるのも、その流れや力に促されてのことなのです。

森羅万象あらゆるものを成長発展させよう、生きとし生けるものを善の方向へ導こう——それこそが宇宙の意志であり、いいかえれば、宇宙にはそのような「愛」「慈悲の心」が満ちている。

したがって、その大いなる意志(愛)に沿い、それと調和するような考え方や生き方をすることが何よりも大切なのです。善き思いや善き行いはそのまま、善へ向かう宇宙の意志を満たすことですから、そこからよい結果、すばらしい成果がもたらされるのは当然のことです。

すなわち、これまで述べてきたような、感謝や誠実、一生懸命働くことや素直な心、反省を忘れない気持ち。恨んだり、妬《ねた》んだりしない心、自分よりも他人を思いやる利他の精神……そういう善き思いや行為はすべて宇宙の意志に沿う行為だから、それによって必然的に人は成功発展の方向へ導かれ、その運命もすばらしいものになっていく。いわば、宇宙の意志や流れに同調するかしないかで、人生や物事の成否が決するわけです。

原理としては簡単なことです。宇宙自身がすべてをよりよくしていこうという意志を備えており、そこに属するあらゆるものにも成長発展を促している。したがって宇宙に存在するすべてのものは成長し、発展することが本然である。むろん私たち人間もその例外ではありません。

ですから、宇宙の意志と同じ考え方、同じ生き方をすれば、かならず仕事も人生もうまくいくのです。

偉大な力がすべてに生命を吹き込んでいる

生命は偶然の重なりではなく、宇宙の意志による必然の所産である。こういう考えは格別珍しいものではありません。前述した筑波大学名誉教授の村上和雄先生は「サムシング・グレート」という言葉で、大いなる創造主の存在を明言されています。

村上先生は世界的に有名な遺伝子研究の権威ですが、先生によると、遺伝子の研究をしていると、この宇宙には人知を超えた不思議な意志が働いているとしか考えられなくなってくるといいます。

遺伝子というのは、人間でも動物でも植物でも、あるいはカビや大腸菌といった原始的な生物であっても、四つの文字からなるすべて同じ「暗号」を使って、その情報が書き込まれています。人間のような高等生物が、そのようにわずか四文字による情報によって成り立っていることには、ほんとうに驚かされます。

人間の細胞一個の中には、三十億もの遺伝子情報が書き込まれており、この情報量を本に換算すると、千ページの本が千冊分という膨大なものになります。これほどたくさんの情報をもった遺伝子が、人間を構成する六十兆の細胞一つひとつに書き込まれている。

さらに驚くべきは、その遺伝子情報が書き込まれているDNAの微細なことです。地球上に住んでいる六十億人分のDNAすべてを集めて合わせてみても、たった米粒一個の重さにしかならないというのです。

これほど微細なスペースの中に、恐ろしく膨大な情報が何の狂いもなく理路整然と書き込まれている。しかも、地球上に存在している生物すべてが、同じ四つの文字からなる遺伝子暗号によって生かされている。

このことを考えると、まったく奇跡というべきで、何らかの偶然で自然にでき上がったものとは考えにくい。人間の想像をはるかに超えた、宇宙全体をつかさどっている「何か偉大なもの」の存在を想定しないと説明がつかない――村上先生は、そういう存在を「サムシング・グレート」と名づけたのです。

サムシング・グレート、それは何ものであるかはわからないが、宇宙や生命をつくり出した偉大な存在のことです。人によってはそれを神といい、私はそれを宇宙の流れとか意志と呼んでいます。いずれにせよ人間の限られた能力では不可知のものかもしれません。

しかしそうした偉大な「何か」が存在していることは、肯定されるべきだと思います。そうでないかぎり、この宇宙の生成発展や、生命の神秘的かつ精緻《せいち》な仕組みを説明することができない。

私たち人類は、そのような偉大な存在から生命力を拝借し、使用しているにすぎないということになります。すなわち宇宙には創造主の手になる生命エネルギーが遍在していて、あらゆるものに絶えず〝命〟を吹き込んでいる。それはすべての存在を「生かそう」とする宇宙の愛と力のあらわれでもある、ということです。

たとえば三十年ほど前に、京セラが再結晶宝石の合成に初めて成功したとき、私はそのような宇宙の意志を感じたことがあります。それは天然の宝石とまったく同じ組成の人工宝石で、エメラルドならエメラルドと同じ成分の金属酸化物を、高温からゆっくり冷やしていくという方法によって製造します。

まっ赤に溶けた成分を冷やしていく過程で、いわばタネとなる小さな天然結晶を入れ、それをあたかも育てるように再結晶させるのです。しかし、そのタネを入れるタイミングがひどく微妙でむずかしい。早すぎると高温のために結晶が溶けてしまい、遅すぎるとうまく育たないのです。

結局、七年にもわたる試行錯誤の末、再結晶に成功したのですが、どんぴしゃりのタイミングで入れた天然の小さな結晶が「成長していく」様子は、あたかも生命の成長を見るようで、そこに、そうさせている何かがあると思わせます。

この例のように、宇宙には、物質をも生命体のように見せてしまう、すべてを「生かそう」とする、静かで強靱《きょうじん》な意識、思い、愛、力、エネルギー……そういうものが、目には見えないが確実に「ある」と、私には感じられるのです。

それは無限の空間に遍在して、すべての生命力の根源となり、その誕生、成長、消滅をつかさどっている、ありとあらゆる事柄、事象の母体であり動力でもあると思うのです。

宇宙の意志、サムシング・グレート、創造主の見えざる手。呼び方は何でもいいのですが、そうした科学のものさしでは測れない不可知な力と知の存在を信じ、日々を生きていったほうがいいと私は考えています。それが人生の成否を決するばかりでなく、人間から傲慢《ごうまん》の悪を消し、謙虚という徳と善をもたらすからです。

私はなぜ仏門に入ることを決意したか

それでは、宇宙の意志、創造主は何を望んで、私たちをこの世に生み出したのか。なぜ一度きりの生を授け、絶え間なく成長発展することをその本然としたのか。いいかえれば私たちはどう生きれば、その大いなる思いにこたえることができるのか。この自問は、人知の及ばぬ壮大な問いでもありますが、私は「心を高める」こと以外に、その答えはないと思っています。

何度か述べてきたことですが、生まれたときよりも少しでも善き心、美しい心になって死んでいくこと。生と死のはざまで善き思い、善き行いに努め、怠らず人格の陶冶《とうや》に励み、そのことによって生の起点よりも終点における魂の品格をわずかなりとも高めること。それ以外に、自然や宇宙が私たちに生を授けた目的はない。

したがって、その大目的の前では、この世で築いた財産、名誉、地位などは、いかほどの意味もありません。いくら出世しようが、事業が成功しようが、一生かかっても使い切れないほどの富を築こうが、心を高めることの大切さに比せば、いっさいは塵芥《じんかい》のごとき些細《ささい》なものでしかないのです。

宇宙の意志が意図し定めた、人間という生命が最終的にめざすべきものは、ただ心の錬磨にあり、その魂の修行、試練の場として、私たちの人生が与えられているということなのです。

その心を磨き、高めるには、日々の生活の中の精進が大切であるということも、私はこれまでくり返し述べてきました。布施《ふせ》、持戒《じかい》、精進《しょうじん》、忍辱《にんにく》、禅定《ぜんじょう》、智慧《ちえ》というお釈迦《しゃか》さまの説いた「六波羅蜜《ろくはらみつ》」に集約される修行法を、毎日の暮らしの中で絶えず心がけることが、私たちの心魂を向上させるのです。

そのようなことを、私はおぼろげながら感じつつ、人生を歩んできましたが、先にも述べたように、六十五歳を迎えたときに、あらためて人生とは何かということを学びたい、また真の信仰を得たいと思い、得度をして仏門に加えていただきました。

ずっと以前から、六十歳になったら現役を退いて仏に仕える身になろうと考えていたのですが、還暦のころは携帯電話事業の立ち上げなどが重なって思うにまかせず、六十五歳を迎えて、これ以上延ばすわけにはいかないと考え、京セラ、ＤＤＩともに名誉会長に退いて得度を果たしました。

もともと私は、自分の人生を三つの期に分けて考えていました。八十年をこの世での寿命として、第一期の二十年は、この世に生まれ、ひとり立ちして人生を歩きはじめるまでの期間。第二期の二十歳から六十歳までの四十年は、社会に出、自己研鑽《けんさん》に努めながら、世のため人のために働く期間。

そして第三期は、六十歳からの二十年間で、死（魂の旅立ち）への準備にあてるべき期間です。社会へ出るのに二十年の準備期間を要したように、死を迎えるための準備にも、二十年の時間が必要であると思っているのです。

死によって私たちの肉体は滅びますが、心魂は死なずに永世を保つ。私はそのことを信じていますから、現世での死とはあくまでも、魂の新しい旅の始まりを意味します。だからその旅立ちに向けて、周到な準備をすべく、最後の二十年は人生とは何かをあらためて学び、死への準備をしたい。そう考えて得度を決意したわけです。

不完全でもいい、精進を重ねることこそが尊い

得度とその後の修行は、私にとってやはり厳粛で、かつ鮮烈な体験でした。托鉢《たくはつ》の行などを通じて、より深く仏の慈悲にふれることができ、出家後に新しく見えてきた世界もあれば、それ以前と変わることなく努めていけばいいのだと思えることもありました。

「悟りの前、木を伐《き》り、水を運んでいた。悟りの後、木を伐り、水を運んでいる」という禅の言葉があるそうですが、仏門に入ったあとも、私は変わらず俗世にあって世間のちりやほこりにまみれながら生きています。しかしながら、内面で何かが確実に変わっていることもまたよく実感できます。

たとえば、修行によって、あらためておのれの未熟さを痛感したということがあります。企業のトップとして部下や幹部に指導を行い、偉そうに訓示もし、さもわかったようなことを本に書いたり講演で話したりもしてきましたが、そんな自分の中にひそむいい加減さ、いやらしさを思い知らされて反省もしました。

あるいは、真にすばらしい人間は「無名の野」にいることも、あらためて胸に刻むことができました。私がほんとうに立派だと思う人は美しい心をもった人です。それはささや

かな街の路地裏に住んでいる心やさしい老婆であったり、都会の片隅で目標に向かって努力を重ねている若者であったりします。

名誉と資産を得、功成り名を遂げた人よりも、そういう無名の人たちのほうがどれほど「上等」で、思いやりに富んだ深い心をもっていることか。あらためてその感を強くしています。

もう一つ。逆説的ですが、いくら修行に努めようが、私たち凡夫はついに悟りに達することはできないだろう。普通の人間が悟達の境地を得ることはしょせん不可能である。このことも私は痛感しました。

得度式のとき、私は導師から、十ほどの戒律を守れるかと問われました。戒律を「よく保たんや」と問われ、私が「よく保たん」と答える。それで初めて得度が認められるわけです。そのようにして持戒を強く誓い、お坊さんのはしくれに加えてもらったのですが、にもかかわらず、私はおそらく完全には戒律を守ることができないと思います。

どれほど持戒に努め、精進を重ね、何百時間座禅を組もうと、私はついに悟りに届くことはできない。私のように意志が弱く、煩悩から完全に離れることができない人間は、心を磨くためにいくら善きことを行おうとしても、私欲を完全になくし、つねに利他の思いをもちつづけることはできないでしょう。どれほど持戒に努めても破戒から逃れられない。私を含め、人間とはそれほど愚かで不完全な存在なのです。

しかし、それでいいのだということも私はよく理解しました。そうであろうと努めながら、ついにそうであることはできない。しかしそうであろうと努めること、それ自体が尊いのだということです。

戒めを十全には守れなくても、守ろうとする気持ち。守らなくてはいけないと思う気持ち。守れなかったことを真摯《しんし》に自省、自戒する気持ち。そうした思いこそが大事であって、そのような心をもって毎日を生きていくことが、悟りに至らないまでも、十分に心を磨くことにつながり、救いにも通じる。そのことを私は、得度や修行によって信じることができるようになりました。

神や仏は、あるいは宇宙の意志は、何事かをなした人を愛するのではありません。何事かをなそうと努める人を愛するのです。なそうとしてなせない、おのれの力の至らなさを反省し、また明日から、なそうと倦まず弛まず努める。そういう人こそを救ってくださるのです。

守ろう、なそうと努めるだけで心が磨かれるのか。「イエス」です。それで私たちは救われるのか。これも「イエス」です。つまり心を高めようとする思いや、その行いの過程こそが尊く、それによって心は磨かれているのです。なぜならそれは、仏の慈悲にかない、宇宙の意志に沿う行為であるからにほかなりません。

心の中心に真理とつながる美しい「核」がある

私は、人間の心は多重構造をしていて、同心円状にいくつかの層をなしているものと考えています。すなわち外側から、

①知性――後天的に身につけた知識や論理

②感性――五感や感情などの精神作用をつかさどる心

③本能――肉体を維持するための欲望など

④魂――真我が現世での経験や業をまとったもの

⑤真我――心の中心にあって核をなすもの。真・善・美に満ちている

という順番で、重層構造をなしていると考えています。私たちは心の中心部に「真我」をもち、その周囲に「魂」をまとい、さらに魂の外側を本能が覆った状態でこの世に生ま

れてきます。たとえば、生まれたての赤ん坊でも、おなかがすけば母乳を欲しがりますが、これは心の一番外側に位置する、本能のなせる業です。

そして成長するにつれて、その本能の外側に感性を形成し、さらに知性を備えるようになっていきます。つまり人間が生まれ、成長していく過程で、心は中心から外側に向かってだんだん重層的になっていくわけです。反対に、年をとって老いが進むにつれて、外側からだんだんと「はがれていく」ことになります。

たとえば痴呆《ちほう》が進むと、まず知識や論理的な推論など知性の働きが衰え、子どものように感情がむき出しになりますが、やがてその感情や感性も鈍くなり、本能がむき出しになる状態を経て、ついにはその本能（生命力）も薄れて、しだいに死に近づくことになるわけです。

ここで肝心なのは、心の中心部をなす「真我」と「魂」です。この二つはどう違うのか。真我はヨガなどでもいわれていますが、文字どおり中核をなす心の芯《しん》、真の意識のことです。仏教でいう「智慧」のことで、ここに至る、つまり悟りを開くと、宇宙を貫くすべての真理がわかる。仏や神の思いの投影、宇宙の意志のあらわれといってもよいものです。

仏教では「山川草木悉皆《しっかい》成仏」、すなわちありとあらゆるものには仏性が宿っているという考え方をしますが、真我とはその仏性そのもの、宇宙を宇宙たらしめている叡智《えいち》そのものです。すべての物事の本質、万物の真理を意味してもいる。それが私たちの心のまん中にも存在しているのです。

真我は仏性そのものであるがゆえにきわめて美しいものです。それは愛と誠と調和に満ち、真・善・美を兼ね備えている。人間は真・善・美にあこがれずにはいられない存在ですが、それは、心のまん中にその真・善・美そのものを備えた、すばらしい真我があるからにほかなりません。あらかじめ心の中に備えられているものであるから、私たちはそれを求めてやまないのです。

災難にあったら「業」が消えたと喜びなさい

そして、その真我を包み込むようにして取り巻いているのが、「魂」です。真我が一糸まとわぬ純粋な裸身であるとすれば、魂はそれを覆う衣服に相当します。その衣服には、それぞれの魂が経験してきた思いや行い、意識や体験がすべて蓄積されています。現世で自分がなしてきたもろもろの思念や行為もまたそこに付加されていきます。

つまり魂とは、それが何度も生まれ変わる間に積み重ねてきた、善き思いも悪《あ》しき思いも、善き行いも悪しき行いもみんなひっくるめた、まさにわれわれ人間の「業《ごう》」が含まれたもの。それが魂として真我という心の中核を取り巻いている。したがって真我が万人に共通したものであるのに比して、魂は人によって異なっているのです。

子どものころ、母親から「あんたは魂が悪い」といわれた覚えがあります。鹿児島では、根性が悪かったりひねくれた性格のことをそういうのですが、幼いながら私の魂のうちに、何かよくない業が含まれていて、それが私の心の一部をゆがめたり汚していた。そのことが母の目には見えていたのでしょう。

では、魂に垢《あか》のようにこびりついているとされる「業」とはどのようなものなのか。そのことについて深く教えてくださったのは、私が得度する際にお世話になった西片擔雪《たんせつ》老師（現・臨済宗妙心寺派管長）でした。

もう二十年近くも前の話になりますが、京セラが許認可を受けないままにファインセラミック製の人工膝関節《ひざかんせつ》を製造、販売したとして、マスメディアから非難を浴びたことがありました。

これはすでに許可を受けて製造していたファインセラミック股関節《こかんせつ》を、医師や患者の方々の強い要望があったために、膝関節部分に応用したという経緯があり、私としては不本意なところもありました。しかし、私はとくに弁解をせずに批判を甘んじて受けようと覚悟しました。

私は擔雪老師を訪ね、「このところこういう問題があって、心労が耐えないのです」というお話をしました。老師もこの問題については新聞などを読んで知っておられたようです。あたたかい慰めの言葉をかけてくださるのかと思ったら、老師は開口一番、次のようにいわれたのです。

「たいへんでしょうが、しかたありません。生きていれば、苦労は必ずあるものです」

そして、続けざまに次のようにお話しくださったのです。

「災難にあったら、落ち込むのではなくて喜ばなくてはいかんのです。災難によって、いままで魂についていた業が消えていくのです。それぐらいの災難で業が消えるのですから、稲盛さん、お祝いをしなくてはいけません」

このひと言によって、私は十分に救われた思いがしました。世間からの批判も、「天が与えたもうた試練」と素直に受け取ることができたのです。まさに、いかなる慰めの言葉にもまさる、最高の教えを老師は授けてくださり、私は人間が生きるということの意味、そしてその奥底に横たわる偉大な真理までを学ぶことができました。

悟りを求めるより、理性と良心を使って心を磨け

魂などというと、少なからず拒否反応を示す人もいるでしょうが、その存在を物語っているとしか思えない事例を、私たちはしばしば耳にしたり、あるいは体験したりします。いわゆる「臨死体験」もそのうちの一つでしょう。病気や事故などで一度「死んだ」人が、ベッドに寝かされて治療を受けている自分を上から眺めていたり、不思議な世界を垣間見たりという体験をしたのちに、再び息を吹き返すというものです。私の知人にも、臨死体験をした人がいます。

その人は夜中に心臓発作で倒れて病院に担ぎ込まれたのですが、いったん心臓が停止したものの、医師たちの懸命の治療によって蘇生《そせい》したのです。その間、彼はどこか花が咲き乱れる草原を歩いていたそうです。するとなぜか向こうから私が歩いてきて「おまえは何をしているんだ」と尋ねた。その瞬間はっと気がつき、ベッドの上で蘇生していたというのです。

身近な人からこのような体験を聞かされて、私は肉体と魂は別のものなのだ、ということをあらためて知らされた思いがしました。彼が死の淵《ふち》で見た景色は実にリアルな世界だった、と語ってくれたからです。肉体は死んでいるのに、どこか「もう一つの世界」にいて、その景色をしっかりと感じて覚えている。それは、肉体とは別のところに魂というものが存在しているということだと、私は理解しています。

魂は輪廻《りんね》転生するという仏教の考え方に従えば、私たちは業という前世までの〝垢〟をたくさんつけた魂を携えてこの世に生まれ、そこに現世での業を上乗せしながら死んでいく存在といえます。

そして、その内側には、真我という純粋で美しい、仏性を伴った永遠の心が隠れている。その真我がそのまま発露されれば、人間はきれいな心で、善き思いを抱き、善き行いしかしない、仏のような存在になれるのですが、それがそうはならないのは、その周囲を業をまとった魂が覆い、さらに欲に満ちた本能が覆い……と、真我の発現を邪魔する壁が何重にも立ちはだかっているからです。

座禅やヨガの修行なども、心を磨くことを目的としていますが、それらはこの心の外側から内側へ向かって、レンズを磨くように外側の壁を次々に磨き落としていく試みであるともいえます。

まず、一番外側の知性を落として感性に達し、その感性を磨きつづけて本能に達し、その本能も磨き抜いて……と最後に真我がむき出しになるまで磨いていく。この徹底した内へ向けての心の錬磨が修行そのものであり、悟りとは、真我まで心を磨ききった状態のことをいいます。

そうやって真我へたどり着いたとすれば、私たちはすべての真理を理解し、仏の智慧を得ることができるはずです。そして、そこまで到達した人は、本能や感性に惑わされず、「世のため人のため」に尽くす生き方ができるようになるのです。

しかし、すでに述べたように、普通の人間はついに悟りに届くことはできません。凡夫には心を磨ききって真我まで到達することはほとんど不可能なのです。

では、どうすればいいのか。私は、理性と良心を使って感性や本能を抑え、それらをコントロールしていこうと努めることが大切だと考えています。

真我や魂から発する理性と良心に従って、確固とした倫理観や道徳観を、心にインプットしてしまう。すなわち「世のため人のために尽くす」という考え方、欲望のままに必要以上のものを求めたりむさぼったりしない「足るを知る」という生き方を、心に刻みつけるのです。

そのような理性と良心をもって感性や本能を制御しつつ人生を歩み、「善き経験」を多く積んでいくことが、つまりは心を磨くことにつながり、おのずから悟りに近づくことにもなる。そうやって高められた魂は、現世だけではなく来世にも継承されていくのです。

どんなちっぽけなものにも役割が与えられている

人間の本質とは何か。私たちは何のためにこの世に生まれてきたのか。それは人間が生きているかぎり、永遠に追究しつづける課題でしょう。イスラム学・東洋哲学の大家である井筒俊彦さんは、人間の本質とは何かということに関して次のような意味のことを語っておられます。

——人間の本質を解き明かそうと瞑想《めいそう》をしていくと、精妙で純粋な、限りなく透明感のある意識に近づいていき、自分自身が存在するという意識はハッキリとあるが、それ以外の五感はすべてなくなり、最後には「存在」としかいいようのない意識状態になる。それと同時に、森羅万象すべてのものが、存在としかいいようのないものから成り立っていると意識できるようになる。その意識状態こそが人間の本質を示しているのではないか——

この井筒さんの言葉を受けて、文化庁長官で心理学者の河合隼雄先生は「あなたという存在は花を演じておられるのですか。私という存在は河合を演じているのですよ」と花に語りかけたくなると、ユーモラスに述べておられます。ふつうは花を見て、「ここに花が存在する」といいますが、これを「存在が花をしている」といってもいいのではないか、というわけです。

つまり生物を生物たらしめている属性——肉体や精神、意識や知覚など——を取り去ってしまうと、そこには「存在としかいいようのないもの」が現れてくる。それを核に人間をはじめとする生命はでき上がっており、また、その存在の核はどんな生命にも共通のものので、それがある場合は花のかたちをとったり、別の場合は人間を演じていたりするのだというのです。

ですから私もまた、稲盛和夫という人間がもとから存在しているのではなく、ある存在が、たまたま私という人間のかたちをとったにすぎないということになる。京セラやKDDIという企業を創業したのも、別に私である必要はなく、たまたま天から与えられたその役割を、私が演じているだけにすぎないのです。

すべての人が天から役割を与えられ、それぞれにその役割を演じているわけで、その意味ではどの人にも同じだけの存在の重みがあるといえるのです。第2章で述べたように、あらゆる人間、さらには生物、そして一本の木や草、道端の石ころに至るまで、あらゆるものが創造主から役割を与えられ、つまり宇宙の意志に基づいて存在しています。

実際、宇宙には「エネルギー不変の法則」というものがあります。宇宙を成り立たせているエネルギーの総量は、形を変えても一定というものです。たとえば、木を切り倒して薪にして燃え盛る火にくべると、もとあった木という存在のエネルギーは、熱エネルギーと気体になったエネルギーに換えられただけで、そのエネルギーの総和は変わりません。

ならば、たとえ石ころ一つでも、この宇宙を成立させるために必要不可欠な存在であり、どんなちっぽけなものであっても、それがもし欠落するならば、宇宙そのものが成り立たなくなってしまうのです。

人のあるべき「生き方」をめざせ、明るい未来はそこにある

このように、宇宙に存在する森羅万象はすべて、大きな宇宙という生命の一部なのであ

り、けっしておのおのが偶然に生み出されたものではない。どれ一つとっても宇宙に必要だからこそ、存在しているのです。

そのなかで、人間はより大きな使命をもってこの宇宙に生かされていると私は考えています。知性と理性を備え、さらに愛や思いやりに満ちた心や魂をも携えて、この地球に生み出された――まさに人間には「万物の霊長」として、きわめて重要な役割が与えられているのです。

したがって、私たちはその役割を認識し、人生において努めて魂を磨いていく義務がある。生まれてきたときより、少しでもきれいな魂になるために、つねに精進を重ねていかなければならない。それが、人間は何のために生きるかという問いに対する解答でもあると思うのです。

一生懸命働くこと、感謝の心を忘れないこと、善き思い、正しい行いに努めること、素直な反省心でいつも自分を律すること、日々の暮らしの中で心を磨き、人格を高めつづけること。すなわち、そのような当たり前のことを一生懸命行っていくことに、まさに生きる意義があるし、それ以外に、人間としての「生き方」はないように思います。

混迷を深める社会の中で、人々はいま、手探りで闇夜《やみよ》を進むかのごとく生きています。

しかし、私はそれでも、夢と希望あふれる明るい未来を思い描かずにはいられません。充実した実りの多い、幸福な人生を人々が過ごす――そのようなすばらしい社会の到来を心から願うとともに、かならずそれは実現できるものと考えています。

本書で述べてきたような「生き方」をとるならば、それが個人の人生であれ、あるいは家庭であれ、企業であれ、また国家でさえも、かならずよい方向へと導かれ、すばらしい結果を招くことができるからです。

まずは自分自身が、またそのようにして一人でも多くの人々が、それぞれ与えられた崇高な使命を理解し、人間として正しいことを正しいままに貫きつづける。そのような「生き方」の向こうには、かならず光り輝く黎明《れいめい》のときを迎えることができる、私はそう信じています。

あとがき

本書のタイトルとして掲げた「生き方」とは、一個の人間としての生き方のみならず、企業や国家、さらには文明あるいは人類全体までを視野に入れています。

なぜなら、それらはいずれも一人ひとりの人間の集合体なのだから、そのあるべき「生き方」に、何ら差異はないはずだ。私はそう考えているからです。

挫折《ざせつ》をくり返しながらも、人間としてよりよく生きることに懸命だった青少年時代、経営の実践の中で、人々を成功や繁栄へと導く考え方を追求した経営者時代、そして事業の第一線を退き、信仰を通じて人生の意義について思索を重ねる現在――私は、このように人生に対して真正面から愚直に向かい合うことで、自分なりの「生き方」を少しずつ確立していくことができたように思います。

本書では、そのような私の考える「生き方」をできるかぎり率直に述べるよう心がけました。

本書の執筆を終えたいま、私は満ち足りた思いに包まれています。それは、自分の考えを過不足なく語り尽くしたという充足感がもたらしてくれたものかもしれません。

そのような本書が、混迷の世相の中にあって、真摯《しんし》に「生き方」を模索する一人でも多くのみなさんにひもとかれ、いささかなりとも指針となりますことを、著者として願ってやみません。

出版にあたっては、サンマーク出版社長の植木宣隆氏、また編集部の斎藤竜哉氏に、並々ならぬご尽力をたまわりました。さらに、京セラ執行役員・秘書室長の大田嘉仁氏、経営研究部の粕谷昌志氏にも、たいへんお世話になりました。その他、本書の上梓《じょうし》にあたりご協力いただいた、すべてのみなさんに心から感謝申し上げます。

二〇〇四年七月

稲盛　和夫

稲盛和夫（いなもり・かずお）
一九三二年、鹿児島生まれ。鹿児島大学工学部卒業。五九年、京都セラミック株式会社（現・京セラ）を設立。社長、会長を経て、九七年より名誉会長。また、八四年に第二電電（現・KDDI）を設立、会長に就任。二〇〇一年より最高顧問。一〇年には日本航空会長に就任。代表取締役会長、名誉会長を経て、一五年より名誉顧問。一九八四年には稲盛財団を設立し、「京都賞」を創設。毎年、人類社会の進歩発展に功績のあった人々を顕彰している。
著書に『京セラフィロソフィ』『心。』（ともに小社）、『働き方』（三笠書房）、『考え方』（大和書房）など、多数。
稲盛和夫オフィシャルホームページ
https://www.kyocera.co.jp/inamori/

生き方

二〇〇四年 八月十日 初版発行
二〇二〇年 十月十日 第一三六刷発行

著者 稲盛和夫
発行人 植木宣隆
発行所 株式会社 サンマーク出版
〒一六九－〇〇七五
東京都新宿区高田馬場二－一六－一一
（電）〇三－五二七二－三一六六
印刷・共同印刷株式会社
製本・株式会社若林製本工場

ISBN978-4-7631-9543-2 C0030
ホームページ http://www.sunmark.co.jp